人間の本質は万人共通、永遠不変であり
全てのものの絶対客観尺度（理性）

意識的知識では万人共通の“人間性”（創世記に“神”という概念で示された）を部分的にしか満たすことが出来ないので、多様な個人的差が出来る。

自然科学の客観性と社会的客観性の違い

前文目次

1 各自の自我には普遍的（人間性）、誰も完全に到達は出来ないが客観的なもの（精神と言われるものの中に理性的合理主義）が潜在している

それは全ての人が無意識的だが、例外なくそれを推測している。さもなければ、人間という共通項は存在しない。おのおのが違った生物種となる。ウサギとカメのように。太古人間は現代のような知識を持っていない人間であったとしても〝人間〟は〝人間〟である。時代が進むにつれて、宗教から科学へと社会が進化する過程が示されることにより情報量が増えてくる。社会も繊細化し複雑となってくる。しかしながら、その結末は先へ先へと進み決して限りはない。ここに自然は、人間には、ある時には命令もし、掴みきれない〝神〟との類似が表れてくる。

また、多様性の中の統一性、統一性を（人間性）を通して多用な状況に対応する。この統一性（人間性）がなければおのおのが経験して持つ多様性をコミュニケーションすることが出来ない。突出した人ばかりではなく、外れ者、偏屈者が難局を乗り越える場合もありうる。突然変異にも科学的合理性がある。自然に存在するもの全てを合理的に考えようとして理解しようとするのが人間理性である。

2 この究極の抽象概念を原初に於いて形成者はこれを〝神〟と呼んだ

これは強固な客観的現実でもある。これを頭に入れておけば、昔のあるいは太古の文章が現代的、合理的に読み取ることが出来る。しばしば現代が人間の普遍性を見落として、自然科学の多種多岐にわたる発展によって古代にあったものを遅れたものとしている。自然科学の進展には、しかしながら終わりがない。個々に自然総体が人間理性には完全には到達出来ない古代には神と呼ばれた概念が生まれた。

自然科学は専門によって多様多岐にわたり、その統一性を見渡すことは不可能に思われるが、全ての人が全ての分野を理解出来る可能性は持っている。これが科学の理性による一元的システムである。それを一人の人間に理解させることは現実的にはとうてい不可能であるが常に可能性として持っている。これが個人の生活を規定している。

3 この概念（普遍的人間性＝神）を、教育基盤がなかっただけに、まずはどうしても社会維持のための道徳を一般に拡げるには信じさせる（宗教）しかなかった

この**宗教の言葉は**、哲学的な言葉に対して、例え話などを駆使して知識のあるなしにかかわらず**全ての一般人を対象にしたもの**であり、ちょうど子供向けの本と同じ役割を持っているが、その内容はずっと高度で抽象的なものである。信心深い信者は儀式や聖書を金科玉条に守るが、これはこの組織にとっては組織固めには役立つが、異なった儀式を持つ組織に対しては、国家間の争いのように争いを生むようになる（現代幸福ホルモンと呼ばれるオキシトシンがその役割を果たしていると言われている）。そこでその精神、本質を理解する哲学者が必要となる。哲学者には儀式や文章を金科玉条に守ることはしない。社会的倫理としてそれを合理的に解釈したら、他の純粋な信者達を傷つけてしまうので、社会的に混乱させないようにするために、本来は正しい解釈を異端（例えば、中世などではグノーシス派、ルネッサンスのブルーノその他）とするのである。この宗教に替わるものは教育組織の整った倫理的民主的国家組織以外にない。政府、国会、教育、裁判所、ジャーナリズムによる表現の自由、警察など

があれば社会的モラルが多くの人の同意の下により守られるように作った。したがって、宗教は国家出現の必然的前段階であることになる。人口が増加して都市が出来、各地方に国家様の組織が出来、そのちょっとした儀式や組織間の違いや利害関係、つまり相手をよく知らないことによってまた争いが頻発する。古代に於いては、より人命を保存するためにまずは組織維持のために宗教が発生する。この宗教や国家組織の違いによる争いはその宗教や国家の形態儀式などに対する信仰のみにこだわるのである。しかし、これは本質に戻って（理性によって）考えることによって避けることが出来るはずである。なぜならその本質は普遍的道徳であるから。それが哲学者や政治家の役割である。そのドグマ化した習慣は理解して獲得したものではない故に政治家や宗教者が強制的に押しつけたもので、高度な教育がない限り、容易に柔軟に考えることが出来ない。

しかし、倫理や道徳と言っても、それも金科玉条に考える必要もない。社会に参入しようとする若者達は、倫理や道徳を上から与えられたものとして反抗するが、反抗してみて初めて倫理の実態を知ることになるからである。ただ、これが一定の枠を超えないようにするために統制する必要が出てくる。〝自由〟はその現実を知るためにもある。

実態を知ることは他人に説得的になり、社会を自由でありながら強固なものにする。民主主義といえども各自の知的段階や専門分野によってさまざまな意見が出るものの多数決という制度で大筋が決まるようになっている。これはこの社会に限定された人間性の表出ではあるものの部分的な人間性の表出と言える。より社会が広がることによってより普遍的なものに進化するはずである。

④ 中世は暗いと思われていたが、最近は見直しが盛んである。中世は12世紀から始まる前ルネッサンス（アラブ・ルネッサンス）の市民国家権力に移る前の教会権力で、開明的、合理的な神解釈を信仰を破壊するとし、異端として除外しようとした

ボエシウスやトマス・アキナス、グノーシス派、プロティノス、エラスムス、クザーヌス（あるいは全く異なった形でルター）を読むと理性が〝神〟概念に到達する手段であると主張している。神概念の除外をすることがなければ、現代人にも、この時代にこんな考えがあったことに驚かされる。かえって現代人の方には〝神〟を時代遅れなものとして切り落としてしまう。これでは、歴史（古代、中世）も現代も理解する

ことは出来ない。結局はつまり人間性を理解していないことになる。スピノザや啓蒙時代で哲学はその展開を止めているように見える。

教育のない全ての人に拡げようとした宗教や国家観だけに、それを強く信じようとして異質なものを強く排除しようとする。これが今日タリバンやＩＳの行動に強く表れている。宗教を成立させた道徳の保持と拡散は普遍的なものでなければならないはずではあるが、文字化など受容の道具として表現化することによりドグマになり、教育がなければそれを柔軟に運用し普遍化することは出来ない。

フランチェスコ・フィオレンティーノの哲学史解説（Manuele di storia della filosofia）を読むと宗教の作られた当時は作った人達は非常に合理的に考えていたことが解る。特に異端とされたグノーシス派などはそうで、ローマ帝国が自己の宗教としたときから政治的手段として利用したようである。

a）カルト、現代で問題となっているカルト集団は、現代社会に入りきれない人達が支えを求めて集団をなす者であるが、人間の集団性という求心力を良く表しているが、その理由を問わないところに個人的独立性のなさが問われる。政治に於ける独裁制も同様なことが言えるであろう。

5 哲学は一つ、その対象も観察主体（主観）も万人共通その大原則：合理（理性）主義一元論、観念論、間主観性（他人（社会）の存在）、神内在論

産業革命と自然科学の急速な発達による合理主義哲学の後退と実存主義（ハイデッガー、キエルケゴール、サルトル、ドゥルーズ、デリーダ）、マルクス主義、ニーチェ、ショーペンハウアー、シュライエルマッハー、アガンベンの出現は時代の変革、社会の拡大、高組織化による歪みの批判と、今まで語られなかったことの穴埋め作業であったために古代から本来ある哲学に異なった面が強い。

古いものはすでに時代遅れであると言う前に、古いものには古いものの読み方があることに気付くべきである。時代の趨勢としてはある意味、当然ではあるものの、哲学の中核を否定していることに気付いていない。革新というのはルネッサンスのごとく中世（教会の権威が強く腐敗をも正当化する）の宗教のようなドグマから解放されて古いものの中にあった〝人間性（古代ギリシャの）〟を再発見することである。哲学は考古学のようなものである。古いものを合理的に解釈することにより〝人間性〟の古いが基本的であるものを、新たに再確認出来る。というよりは感動や共感を得、

本来の創造性は常に同じ源泉から出発する。それは一人の人の人間性は時代や場所により永遠に変わらないからであり、それを各自なりに深化させるのである。

ピコ・デッラ・ミランドラは各哲学者は同じことを異なった言葉で言っているだけであると言い、ゲーテも「全てのことはもう考え尽くされ、言い尽くされている。我々はこれらのことを別の形式と表現を借りて、もう一度言い換えることが出来るだけだ」、ドイツの有名な指揮者フルトヴェングラーも現代音楽に疑問を投げかけている。

6 知識の永劫回帰

知識（自然科学の）は時代の進化に従って拡大していくが、問題は同時にその本質の拡散も始まる。なぜなら人間のやることには常に限界があるからである。そこで歴史を振り返ることは必要かつ必然となる。拡がり言語化されたものは必ず固定化され、いつの日か、ドグマ化を避けることが出来ない。これも人間の能力の限界から来るものである。そこで表現された言語の本質を考え直し表現に惑わされずに本質を見抜く必要が出てくる。歴史はこの拡大と収縮の繰り返しである。それがルネッサンスや啓蒙時代という形で見直しが行われる。歴史もさまざまな革命など、どんでん返しを経て成立している。歴史は直線的ではない。

昔から言われていることには深い意味があるが、ただ聞いているだけでは「それは分かり切ったこと、昔の話」と言って、自分に事件が降りかかってこない限り、その内容を考えることは決してない。このことは万人に言えることである。人間は生まれてこのかた〝恋愛〟というものの形式を変えたことはない、それが替わること自体が人間性に反するものである。つまり〝人間性〟はその説明の言葉は精緻に時代の発展と共になるがその本質には変化を来さない。ここに〝人間性〟不変化の原理がある。これによって、歴史を通して人間を理解することが可能になる。表面の変化に惑わされてはならないのである。

国旗や宗教儀式の本当の内容を言える者はほとんどいない。ここにナショナリズムや信仰が生まれる。このようなシンボルは考える手だてであって、表現と内容が分離していることは避けることがなかなか出来ない。哲学者はあの手この手でその意味内容を掘り返そうとするのが役目である。そこで解決の一手を発見することが出来る。一般的に言われるように哲学者は何もしないどころか変革の方向を示すことが出来る。

人間は何度も言われている言葉、当たり前の道徳に慣れっこになって、実は出発点から考えることはない。そのうちにその弊害が出てきたときに初めて最初から考え直す。これが人間の波動的歴史を作っている。現在が過去より絶対的によいと言うことが言えない理由であるが、これにはほとんどの人が現在の便利さ故に気が付くことが遅きに失する理由である。言葉は現実経験が裏にないと言葉としては成立していない。共産主義が機能しなかったのは、エリート集団である政治部が6カ年計画とか民衆の現実から離れた頭でよいと思われたことを拡げようとしたからである。プロレタリアートのディクタテュールというのはそう言う意味である。自分がプロレタリアートの現実を持たないエリートなのに、こう主張したところに矛盾がある。

⑦ 神は自然（スピノザ、ストア）、人間はその一部、精神は神（全自然）の映像、したがって、全ての主観の中に共通の客観―普遍的人間性が潜在

主な共通性を見通せる哲学者達を挙げた。そのためにわざとたくさん名前を挙げている。矛盾するように見え、古臭く見えるが全てが一点に収斂している。

スピノザ、カント（「純粋理性批判」主観一元論）、ヘーゲル、新プラトン派（プロ

ティノス（「エネアーデス」）、プロクロス）、ストア派等を中心軸に、ヘラクレイトス、アナクサゴラス（ヌース（理性））、プラトン（「メノン」、「フェードン」など）、アリストテレス（「霊魂について」）、ボエチウス（5世紀、処刑の直前に書かれた「哲学の慰め」は見過ごされがちだが哲学の全ての重要な要素が後半部分で描かれている）、トマス・アキナス（神学大全、理性と神概念）、マイモニデス（「迷えるものへの案内」聖書の合理的解釈）、アヴェロエス（同様）、聖アンセルムス（モノロギオン、プロセレギオン、クール・デウス・ホモ）エックハルト（理性）、クザーヌス（理性）、パラケルスス（神秘的言語から啓蒙主義へ、合理的な目で見て哲学の主要な要素がそこにあることが発見することが出来、それが必要）ルネッサンスの思想家（ポンポナッツィ「魂の不滅」）ピコ・デッラ・ミランドラ「人間の尊厳」、ジョルダーノ・ブルーノ、クザーヌス、ジャン・カルヴァン（資本主義とオランダの最盛期を作った）、マキアヴェッリ（「君主論」、「ティティウス・リウィウスの最初の十年」）、マネッティ、アルベルティ、ペトルカ、ホッブス「リヴァイアサン」、ルソー「契約論」、「エミール：サヴォワ叙任司祭の信仰告白」、ライプニッツ「単子論」、ヘルダー（「神」）、フォイエルバッハ（卒論）、カッシーラー、カール・バルト（Menschen und Mitmenschen）、ジェームス・アレン、同時代人としてフランソワ・ジャコブ、アルド・ガルガーニ（1935〜）、ヴィルヘルム・ヴァイシェーデルの思想を背景に。日本では西田幾多郎と親鸞が興味深い。

人間を構成するものは細胞であるが、これは一定期間で入れ替わるものである。これと同じように人間社会も新陳代謝を繰り返している。これは内部にある構成物質が新陳代謝するのではなく、必ず外から来るものである。人間も生物である限り生物的なものと平行関係にあると考えることが出来る。〝革命〟もこの変化の大きなものであると言える。改革なしには新しい変化には対応出来ない。

8 哲学（本質は万人共通の人間性）は皆が共有するものであっても、なぜ難しいと思われているのか?

人間は各分野が専門化して社会を構成しないと、よりよい生活が出来ない。専門化することで効率を上げることが出来る。効率を上げれば生活が楽になる。これは哲学にも言えることである。世にあふれる哲学研究は哲学そのものとは異なって、それはそれで哲学の入り口になるかもしれないものである。哲学者は思考の専門家で、現実を観察することで自己のものと同時に共通な思考を模索するものである。プラトンやアリストテレスのように他の専門家に感銘や影響を与えるものでその役割を行使するものである。政治家のように思想は持ちながらも不明な未来に投機するのではない。哲学者はその結果を観察して（いわゆるContemplation）、より完全な現実の仕組みを解明しようとするものである。政治家や他の専門家とは異なるのは、思考と行動が同時に行うことが出来ないことにある。

そして哲学が難しいように見えるのは、知的に積み上げていくことは、すでに積み上げてきたものの上にじっと観察しなければならないからである。人間自体動くことは、人間の本性として重要なことであるからである。逍遥派は歩きながら考えたが、考えること以外のことはほとんどしていない。

しかしながら人間、他人と話をする以上そこには思考がある。この端緒を持たない人はいない。思考とは〝人間性の条件〟（社会的）であるからである。

9 基本学としての哲学

この哲学思考の社会的共有度が高ければ高いほど、その社会は、人間性を尊重し正義的に、したがって効率的にもうまくいく。**自分の使う言葉自身（思想自身）をより共通な言葉に次第に修正していくこと、すでにそのことが哲学であるとも言える。各自がより共通な人間性に到達しようとする過程は立場によってさまざまであるが、同じ到達不可能な一点を目指しつつ意見が多様になるのである。皆がコミュニケーションしようとすることは皆がこの一点を到達不可能であるとしても必然的に想定している。古代では、この不可解な命令者を〝神〟と呼んだ。科学の発達した現代ではこれを宗教の信仰の対象であって非合理なものと考える。**

　また、哲学は基本（科学）学なので、あらゆる個別分野に含まれており、もし哲学者が誰でもが必ず身につけなければならない個別分野の技術を身につけたら、その哲学が偽物でなければ、必ず大成することが出来るはずである。思いがけないことが起きたときには、より人間性を深く理解している者ほど、より良く対処出来るはずである。これはアカデミックな哲学研究ではなく、多くの思想に接して自分自身で哲学を形成した哲学のことを言う。自分自身に根を持った思想であり、また普遍的なものでもある。なぜなら哲学とは社会的な道徳であるからである。自然科学に於いても、基礎科学よりもすぐに役立つものでなければ無駄のように感じてしまうが、一旦基礎的なものが認められれば、その応用範囲は膨大なものとなる。アインシュタインの相対性原理がそのようなものであった。その想定された予言の有効性はいまだかって相当時間が掛かっても次々に証明されていく。当初はイギリスの宗教的（クウェイカー）良心から戦争に参加しないでいられたエディントンしかその有効性を信じられてはいなかった。基本論はそれだけの影響力を持ちながら、逆にそれだけ近づきにくいものであるのはいつの時代にも言えることである。哲学もそれ故に敬遠されがちで近づきがたいものである。

⑩ 理性と本質共感（一体感、Ｅｍｐａｔｈｙ）

この主張は、人間が言葉を使う以上、社会的人間であり〝理性〟をその共通のコミュニケーション体系としている。しかしながら、この世に限られた生を受けた個人にはとうていその全体枠を捉えることは誰にもとうてい出来ない。人間誰でも同じ基礎（人間性）を共有しながらも絶えず意見の食い違いで論争している。論争が出来るということは、逆にお互いに共通の基盤を持っているとの〝直感〟が常になければならない。そこには宗教とは異なるが、理性（つまり理性）への〝信仰〟があることになる。理性の偏縁（人間の知性にとってはあってないようなもの）は知ることにはならないからだ（アインシュタインの光速度一定という限界と同じである）。自然科学が永遠に決定的決着には至らないのがその証拠でもある。またしかしながら、その生物的、物理的存在に於いては自然の全体が反映されている。したがって、哲学では追求方向もその方法も全く異なる。哲学はどの時代に至っても（社会によって少しずつ明らかになる）人間性という同じ対象を扱っている。異なるのは時代によってその表現が全く異なって見える。その異なった表現でもって、昔は遅れていたとは、自然科学のようには言うことは出来ない。それは現代と呼ばれる偏見である。あふれる現代の表現よりも昔の言葉に大いに感動を受けることが実は多い。現代の表現は昔の表現のようにいまだ切磋琢磨されて残ってきたものではないからである。そこで昔の表現を現代の理性で言い換える必要が出てくる。それをしなければ宗教での信仰と同じように非合理的なことを言葉どおり（ドグマ）にとってしまう。そこで哲学の方向は時代を逆進することで感動を伴った発見があることを発見するになる。それでは、ちっとも面白いことではないと思ってしまう方達もいよう。ところが、場所も時代も遠く隔たり異なった人々と共感することは、各自のメンタリティーに大きな変化をもたらす。人間である自信を強化することになる。相手を傷つけたりすることも少なくなり、グループのトップに立ったりしたとき異なった意見の中からよりスムースにより本質的なものを選び出し物事をスムースニ運ぶことが出来るであろう。哲学は人間の本質へのより大きな共感を深めることである。**共感とは一人でありながら多くの人達の考えたことを吸収することである。大自然を一身に吸収、反映するとでも言えようか。スピノザ、カント、ヘーゲルの中にある一元論とはこのことであろう。**

⑪ 単純生、単一性

誰でも知っているデカルトの〝Cogito ergo sum〟やアインシュタインの $E = mc^2$ ほど短く簡単に本質を伝える言葉は古代からカント、ヘーゲル、いや東洋思想までをひっくるめてもこの種の言葉は少ないであろう。
シンプルと言うことは、とても難しく大半の人に共通であることであり、それが本来の哲学であろう。それがもたらす〝共通性〟、〝共感性〟（あるいは人間性）が本来の哲学であるべきであろう。アインシュタインは「思考の美しさはシンプルさにある」と言う。

神を自然総体のシステムとしたときに、唯物論と唯心論は一つに結合する。唯物的自然のシステムが人間の精神に反映して唯心論となり、それが自然を表象する一人の個人にまとまるということだからであろう（スピノザとカント）。

⑫ 禁欲主義は人間の本性か？

また、〝禁欲主義〟、昔のキリスト教エッセネ派のように山に集団でこもって禁欲生活をする（しかしおかげで黒海文書という貴重な聖書の原型を保存出来たという面では利があったが）という例が今でもギリシャの山で行われているが、これはあらゆる人間的罪を逃れることは出来るかもしれないが（と言っても人間のあいだの軋轢は逃れられないであろうが）、通常の人間的活動も思想を豊かにすることも出来ない。活発な人間活動は常に罪を犯す可能性を持っているがために宗教が発生し道徳がそれを排除しようとし、多くの人間存在を守ろうとする。人間は不完全性を持っているが故に生きた活動的な人間となるのである。カルヴァンなどは宗教家でありながら音楽や必要なだけのお金儲けには反対しない。それ故、カルヴァン派の商業是認以外何の資源もないオランダの経済的成長があった。現代でもオランダ人はけちであると言われているが経済の重要性を知っていたからである。

存在する個人個人は全員違った世界環境に生まれ違った外の景色を見ている。それなのに本質は皆共通で、突き詰めてしまえば一人の人間になる。この一つの本質に仮にたどり着けたとすれば、他人を羨むことも憎むこともなくなり、自己愛（同時に他人愛）のみが残る。他人も本質に於いては自己と同じである。しかし外見上、他人というものは必ず自己とは異なる、そこで本質の共通性を求めて〝理性〟というものが生まれ働き出す。他人を傷つけることは自分を傷つけることと同じ事になる。だから他人を傷つけた人は必ず矛盾という形で自分自身に傷が残り続け、後の行動に無意識的であろうと意識的であろうと大小の影響を残し続けることになる。顔の表情にもその行動にも無意識的に出ることであろう。

子供の表情が無邪気であるという。それはまだ社会に組み込まれてはいないからである。社会に組み込まれると人は必ず失敗や成功をする。この失敗によって〝理性〟を学ぶのである。本質は善であって、それは共通なもの、したがって一つである。人種差別が非難されるべきなのはこの本質が共通であることから来る。自然科学が一つのシステムしかないのも同じ理由である。

13 必然悪と経済（レ・ミゼラブル、ヴィクトール・ユーゴとドストイエフスキーの世界）、反ユダヤ主義の問題、日常性

人間の活動は悪を意図しなくても必然的に人間にとって悪として受け取られる可能性のある世界である。なぜなら経済活動が存在するからには、そしてそれは必然的なものであるからには、経済弱者は必ず存在せざるを得ない。必然の世界から見ると、それであっても善なのである。これ故に道徳を教えるものが必然的に存在する。それが社会の拡がりがそれほど大きくなく社会の構造化がいまだ不完全な歴史の始めには、国家よりも宗教があり神を設定せざるを得ない。経済的な拡がりを持つことは多くの他の社会と繋がりが拡がりと構造性を持つことである。ちょうどユダヤ人社会が国境を越え多言語的になり国際的連携を形成するように。社会が一定の拡がりを持つと言語が拡がり、教育機関（最初は国際語だが知識人にしか読めないラテン語、すぐに各国の自国語が教えられる）が一般的となる。こうなると宗教的な超越的神を仮定して道徳を維持することの意味が理解出来、逆に理解せずに信仰することにも弊害（儀式の違いによって争い合う。これは国家でも同じことである。経済的利害がからむからである。）のあることに理解出来るようになる。この時点で社会的組織である警察や

政府が出来上がってくる。より進んで自由に者が言えるジャーナリズム（これが民主主義の一番重要な要となる）が以上の組織の監視が許されるようになる。ただ単に競争に打ち勝つ資本主義ではなく、道徳性を持った資本主義が徐々に整備されていく（Max Weber）。この段階になってもなお悪の部分は残る。悪が完全に克服されたら（人間が生きている以上そんなことはあり得ない）以上のような組織は必要なくなるからである。

以上のような善悪の世界を見事に描いたのがユーゴーのレ・ミゼラブルであるようだ。それ故にこの作品が古典的傑作として残っている。勧善懲悪だけでは悪の必然性は理解出来ない。これは困ったことを経験した人の溜飲を下げるだけであろう。〝神〟は善であるのになぜ悪が存在するのか？　の意味が解らないであろう。レ・ミゼラブルの中で主人公ジャン・バル・ジャンは飢餓から盗んで捕まるわけだが、それをその上に銀の燭台を与え牧師は許し善の方向性を示していく。これ以後、善行を繰り返していくわけである。現実そのものをユーゴーは実に見事に描いていく。また、〝ノートル・ダムのせむし男〟も見にくい鐘突き男と美女にこの社会の矛盾を見せている。社会は見かけの善悪に惑わされるものであること、もう一歩進んで物事の深さを考えさせるものである。

他にドストイエフスキーの多くの作品（〝罪と罰〟や〝貧しき人々〟など）もそのような古典として評価出来る。主人公のラスコリーニコフが、金貸しの婆さんを一般的感覚でただ悪者と見なして殺してしまい後悔するなど反ユダヤ主義をも考えさせるものでもあろう。

ユダヤ人でもあるアインシュタインが好んで読んでいたこともうなずける。〝ケセラ、セラ〟（The man who know too much という映画の主題歌）や“All the way”（The Joker is wild の主題歌）の歌詞を聴いていて思ったのは非常に簡明な形で哲学の主要部分を歌っていることに気が付いた。神―自然の決定性と人間が時間の中で生きることで先（自然の全体性）が見えないことで、自由意志（Libre Arbitre）という概念が生まれることとの矛盾が描かれている。その自由意志が自然（神）と一致すれば成功であり、一致しなければ失敗となる。ただ時間という生の中では悪が長期的に支配することもあり得る。それを克服しようとするのが生である。こういう考えは日常的な Pops の中にもよく見ると表れている。自然が全てを貫き通している以上、全てに哲学を発見することも出来る。人間若いときには既に出来上がっている道徳規則にはすぐには理解することが出来ないのは当然で、それに挑戦して初めてそれを実態的に知ることになる。それ故に必然的に悪を避けることは出来ないように世界は出来ている。実質的に知識としてだけあった抽象的な物事を知ればそれは確固としたものとなる。教会での〝告白〟はそのシンボリックなシステムである。

14 球体と直線（現実と小さな人間世界）

円は数字では割り切ることが出来ない。〝Π〟（パイ）というギリシャ文字を使う。円や球体は直線や数字と根本的に性質の違ったものであることを示している。人間の目の前の世界と自然全体の世界の違いである。地球の外には球体と円軌道しかない。人工衛星もこの円軌道を使ってしか他の天体に到達することは出来ない。

人間の使う道具に時計、扇風機、歯車、タイヤなどがあるが、これは人間にはなくてはならないものである。全てこれらは円を利用したものである。

この両者を論理的に繋げたのがアインシュタインの一般相対性理論である。アインシュタインの理論の難しさは、日常の直線を主体とした世界と全体である現実をリンクさせたところにある。限界があって限界のない世界、光速度一定によって〝無〟（ギリシャ時代から〝無から無は生じない〟と言われている）が存在しないこと、空間があれば必ずそこに光が僅かながらも存在する。想像することが大変難しい世界である。宇宙―世界には球体と円しか存在しないことは比較的簡単に固定観念の中に入ってはくるが……。

15 三位一体論

キリスト教には三位一体論というものがある。**神・天使・人間**というものである。神は以上に行ったように自然総体が全ての規則を決める抽象概念であり、天使というのはギリシャ語で〝**アンゲルス**〟で〝**伝達者**〟の意味である。人間に自然の規則を人間精神を通して自然の規則を伝えるものである。人間はこの規則の範囲で行動するのである。いわゆる人間社会でのモラルである。これに反したときには懲罰が遅かれ早かれ下ることになる。

16 単純な標語の力

デカルトの「Cogito ergo sum」、スピノザの「神は自然」、聖書の「神は存在（自然総体）、存在は神」や「始めに言葉（理性）ありき」など、これらの短い言葉で一冊の、あるいは多くの本の内容をも表現しているとも思えるのである。

⑰ 組織のプラス面とマイナス面

組織は最終的には客観的視点を与える一方、常に真理を発見する者は個人から始まり少数派であるためにそれに対して排外的に働くことが常である。例えば、宗教は信仰に反する合理主義を受け入れることはない。

目次

序章　85

第3章　無進化論

第4章　唯物論と観念論、スピノザとヘーゲル

第5章　合理主義二元論哲学史　213

細かいデータに関する批判ではなく普遍的人間性の表出が重要

まずは私の主張は、哲学はテキスト・クリティックではなくテキストから得たもので自分の考えに沿って書くことである。古典哲学者の名前や引用があってもそれらは自分の考えに沿ったものであること。したがって、同意していることを引用するのであって決して批判はしない。批判は必ず異なる立場の違いが理解出来ないことが多く、同意出来ないことは触れない方がよい。なぜなら同意出来て初めて自分の理解が深まるからであり、同意出来ないことをあれこれするのは自分の優越性を誇示しているように見えるからである。一人の人間の言うことは必ずその理由がある。同意出来ない場合はなぜだろうとは思うが、理解出来るまでほっておく方が良いように思う。

古典的な哲学者の言うことは多くはそれなりの理由があって古典として残っているのである。そして同意出来る点だけを集めてもそれなりの量となる。そこから物事を深める方がより深く考えることが出来る。

こと哲学に関しては西田幾太郎以来日本には目立った哲学者がいないように見える。フランスの現代哲学の流行が日本を席巻しているようだ。それについて大学の先生達がいろいろな研究書を出版しているようである。ただ、それらは哲学に興味を持った人一般には読まれるようなものではないようだ。ここに私のアカデミー批判がある。

アカデミーでは非常に多くの世界中の研究書が出版されている。それらに関して門外漢には興味を持てない細かい矛盾を相互批判をしているようだ。たしかに誠実で緻密な研究書も存在する。歴史研究などはこの面が必要となろう。しかし、それも情熱を持って自分が追求する一本の決まった導線（これが普遍に繋がっていく）がある場合である。それだけ人間性が表れているからである。データ収集や正確性の自己主張はただ果てしのない論争を引き出すだけである。大半の日本の国会（フランスは私の経験からするとちょっと違うようである。ジャーナリストによる政治家との討論はしばしば最高の視聴率をとる。）の論争には国民が興味を持たないことと同じである。日本は島国でほぼ単一人種国家（在日朝鮮人の問題、満州帰国日本人の差別の問題があるが、その中に有名人が多いのもヨーロッパ・ユダヤ人問題と似た問題があるかもしれない）で組織性を重んじるので、自由な討論によって異物、異なった意見を取り入れる習慣がない。これが習慣化すると上位の者が間違っていてもそれを押し通すという習慣が出来、創造性、柔軟な対応が犠牲になる。このやり方は確かに迅速に対処は出来、戦後の経済的急成長もこれによるところもあるであろう。しかし、目立つ政治家はたまにしか出現しない。これはあらゆる分野でも言えることである。これは真実より組織を優先しなければならない経済的貧困によるものとも考えられる。

　そこで哲学だが、皆が興味を潜在的には持ちながら、難しく縁が遠いものとも思われている。それは大学アカデミーの枠や決まった型にはめられて、自由に人間性を発揮することがないからである。形だけでそこに人間がないからである。自由や生命力は形を踏み外すもの（社会を乱すもの）であると、ある形の中に長く生きてきた者には思われるのである。これは経済的にきつい国家の中でよく見られる現象である。経済的に進化した国でも見られない現象ではないのである。

　ただし、日本の研究書にはヨーロッパの哲学者の紹介書としては大変優秀なものはあるが、今はもう一歩踏み出すべき時期ではないだろうか？

　仕事をこなすには形式に則ればまずは安全である。これが繰り返され状況の変化にも例外的な事項にも対応出来なくなり、そこには人間性も創造性もなくなる。人間性あっての形式である。

　アカデミーの重鎮でもあるマックス・プランク（戦争やヒットラー暗殺を企てたとして全ての息子達を失っている）がアカデミーの全く外にあり、相当に飛び抜けた理論を持ったアインシュタインを、ユダヤ人は排斥も強かったにもかかわらず、やや遅れながらも認めたことはすごいことだと言わなければならないであろう。実際他の有名なノーベル賞受賞者（レーナルトやシュタルクが反ユダヤ主義から）がアインシュタインの講義に反対運動をしていた。逆にアインシュタインの理論を真っ先に認めたのはドイツの敵対国イギリスの教理的良心により戦争には一切加わらないとした。そしてイギリス国家がそれを許したクウェイカー教徒であるエディントンが真っ先に信じてそれを証明することになった。

＊人間の本質は永遠不変

哲学は人間の本質的な問いを行うもので、必ずしも最新のものが一番良いとは限らない。本質的なものは時代状況によって間欠的に出現してきた。古代は幼稚だからと言って、そこにその種子がないとは言えない。それを再発見する目が必要となってくる。ルネッサンスが古典復興と言われるフマニズモ（人間性）復興、ギリシャ文化の再興の時代と言われる。この二つの時代の間には中世と言ってキリスト教による国家（ローマ帝国、ゲルマン、ゴート等）の拡大、建設、維持に集中したろうである時期が挟まっていて文化的には国家的拡がりを持たず、マイスター・エックハルト（１２６０～１３２８）、アンダルシアのアヴェロエス（１１２６～１１９８）とマイモニデス（１１３５～１２０４）、トマス・アキナス（１２２４～１２７４）も神学者でありながら理性の必要性を訴え、ボエシウス（４８０～５２４）やアンセルムス（１０３４～１１０９）、ドゥンス・スコトゥス（１２６５～１３０８）ほど昔の人でも偏見がなければ現代の合理的視点からも面白く読むことが出来る。考えてみるとこれらの人々の大半は僧侶である。昔は信仰だけにとらわれない僧侶が知識人の役割を果たし、教会も一定程度パリやイタリアに大学が出来るまで現在の学校の役割を果たしてきたように見える。

自然科学が急速に発展しているので、それを学んだ人間達も進化しているように思えるが、それは錯覚である面もある。それは社会が拡大緻密化し経済的に伸びることによってさまざまな領域に関わる人間のネットワークが広がったことによる。仮にネットワークが切れ各社会が孤立すれば逆戻りすることもあり得る。また、科学の進展が限りないように見えるのは社会の進展が今までそうだったからである。

しかし、哲学は人間そのものに関わるのでその本質が進化するとは考えられない。もしそうだとしたら、各時代の発言や各地域の発言は互いに完全に理解不能になるはずである。恐らく社会が拡大するのでそのヴォキャビュラリーは増殖するであろう。その増殖を通して何度も本質を再発見しなければならなくなる。この増殖にも社会という現実があるので、その本質再発見は必ず抵抗勢力に出会う。恐らく産業革命というのはさまざまな可能性を開いただけに、普遍的な価値である本質の再発見はそれだけ難しくなるはずである。その意味で１８４０年以後、１９０５年以後の理論物理の形成を除いて、哲学の本質が隠れてしまった西欧中世の時期に匹敵すると考えることも出来るのではないか？　現代哲学のように目新しいものの中に常にその本質が移っていくとは限らない。確かに実存哲学のように人間の苦しみや美的関心を中心にしたことは古典的な哲学では少なかった。しかし、そのような問題は本質問題に繋げない限り体系的に解くことは出来ない。体系がないと言うことは解決するすべがないと言うことである。神を自然総体とすることで宗教の合理的な解説が可能になる。実存主義の問題もこの宗教の問題と同じことである。産業革命の中で出てきたマルクス主義の問題もその美しい理想と現実の間に乖離がある。その時代、それ程性急な問題であることは確かなことなのだが、現実は人間の頭で考える理想よりもずっと複雑なのである。これは我々の歴史が証明したことでもある。マルクスは最高の知性だしその時代の生み出した苦しみを拾い出し、多くのインテリが彼に共感を覚えた歴史がある。これも事実だが、一方で共産主義にイデオロギーとしてではなく無知そうにも見える一般的現実感覚から抵抗を感じた人達もいた。この一般的感覚の中に現実がある。この一般的感覚は矛盾や問題を多く含むもので人間の考えた理想が簡単に適用しても、その矛盾はなくなるものではない。現実と人間の考えとは永遠にその乖離を解消することは出来ないことを肝に銘じておく必要がある。このことによって意見の多様性に〝寛容〟になることが出来る。民主主義に於ける〝多数派原理〟もここから来たのであろう。

■人間意識の不完全性と歴史の螺旋回帰

人間は深く考えながら同時に重要な行動をすることは出来ないように出来ているからであろう。人間は社会の繋がりが広がるにつれ空白部分を埋めようと、また新たな経験に対処しようとして考え行動する。不完全でなければ何かをすることは出来ない。不完全性が完全性を目指す活動源泉である。ヘーゲルが「哲学は全てをなされた時に遅れてやってくる」と言っている。やることが先で、不可避的に考えることは後であると言っている。この避けることの出来ない不完全性と人間性のあらゆる時代に於ける普遍性が絡み合って波瀾万丈の歴史を作るわけである。

文字文化が残っている部分だけを見ても、古代ギリシャ、ルネッサンス、啓蒙時代と文化が集中する時代が波状的にやってくる。暗い時代と呼ばれた中世も最近は見直されつつある。中世の僧侶の中には神という概念を自然総体と読み替えることによって現代の知識人と変わらぬ思考を（返ってそれ以上のものを）読み取ることが出来る。逆に現代は神概念を否定することによって自然総体の概念を紛失してしまっているとも言えそうである。信仰という無条件に従う必要に疑問を呈され始め、人間のことが理性的に考える余裕が出来てきたと言える。教会組織が信仰の名の下に多くの無知の人までを含めた人々を道徳的に導いて人間社会をまとめようとした。

ルターの宗教改革までヴァチカンの宗教権力の下で締め付けを計った。しかし、国家が拡大連携する中で経済的発展による知識と知識人層の発展（例えば、グーテンベルグの印刷術による聖書が広く読まれるようになる。以前は僧侶が教会で任意に読み聞かせるだけであった。）により民衆国家が役割代わりをしていった。それがルネッサンスへ繋がっていく。政治的に言えば、イタリア・ルネッサンス、スペインの新大陸発見や無敵艦隊、イザベルとフェルディナンドによるスペイン統一により追い出されたユダヤ人がオランダそしてイギリス（ユダヤ人の資金によるスエズ運河の買収成功、そしてインドに至る。）に移ることにより制海権の委譲が行われ、最終的にアメリカへと移っていった。

■自然としての人間の完全性

しかしながら、人間は自然には不完全性が存在しないから、自然としては完全である。人間は死んで自然に戻れば自然の完全性にまた飲み込まれるのである。人間の意識が必然的に後追い的にこの自然の完全性を捉えようと努力はするものの、人間の一生も限られてもいて、誰も完全には到達出来ないようになっている。これも自然の完全性が人間に与えた不可避の使命なのであろう。さもなければ人間の活動の必然性がなくなってくる。人間が不完全（二元的）だから一元的完全性を目指して活動するのである。この完全性を目指す意志が〝理性〟であり、その目標の完全性は原初には〝神〟と呼ばれたのであろうと想像するのである。こう考えることによって宗教発生の原理、大半の人にとって信仰の対象でしかなかった神という概念の不可解性が理解出来るように思われる。〝神〟という概念は最高度に抽象的であり合理的に理解するには相当な知識がいり、日常的に労働生活に追われていては簡単には理解する手だてがない。しかしながら、人間達が自分達を社会的に調和組織化されなければ生き延びることが出来ない。そこで啓示を伴う信仰というものが出現するし、それを不完全である人間意識に社会的調和を維持するために、あれ程の宗教儀式、組織、教会などの建築物が世界のどこに行こうと例外なく見られるわけである。しかしながら、そのことを理解している人間はどの時代にもいたようである。そしてその神概念は人間が作り出したものである。神の完全性は人間の不完全性と比べると超越的に見えるが、人間が作り出した以上、人間の考えの中に存在すると考えるわけである。それが完全である以上、人間に潜在的にしか存在することが出来ないことになる。それは社会の中で生活しコミュニケーションを取ることで完全性がどこかにあることが徐々に推測されてくるのであろう。人間も完全である自然の一部であるのだから、どこかに完全性があることに気付く。それが万人共通であることにも気付く。そして、自然の一部でしかない人間にも、自然の全てと遠からず近からず全ての自然と繋がりを持っているはずである。つまり、全自然が大なり小なり一個の人間にも反映されているはずである。その全てを顕在化させることは不可能であるが、必ず推測されうる。この意味で人間は自然としては完全であるものの、意識としては不完全に留まらざるを得ない。ただし、人間の意識は不完全だからと言って非合理主義、神秘主義が正しいとは言えない。自然の一部であるという完全への意識は〝理性〞と呼ばれ社会生活での共通基盤となる。つまり、〝理性〞は唯一の一元的にまとまるシステムである。

＊スピノザ―カント（ヘーゲル）―プロティノス

まずはこの論文で中心的な問題設定を提示したい。この問題提示に重要な哲学者を少なくとも数人挙げれば、**「神は自然（の人間を含む全体系）である」**と言った**スピノザ**（１６３２〜１６７７）、**観念論（客観としての主観）**を〝**純粋理性批判**〟によって詳細厳格に体系化し**遺稿（Opus Postmum、１９３８）**の解読が重要性を持つ**カント**（１７２４〜１８０５）あるいは、**ヘーゲル**と、一元論と観念論が共存し、以後、新プラトン派の大きな流れを作った**プロティノス**（２０４、エジプト〜２７０、イタリア）あるいは**エックハルト**〔１２６０、ドイツ〜１３２８、フランス〕である。

アインシュタイン（１８７９〜１９５５）が自分が相対性理論を作らなければ**エルンスト・マッハ（１８３８〜１９１６）**が作ったであろうと言ったマッハもスピノザと同じ「神は自然である」（認識と誤謬、最終章）と言ったり、「自然科学的概念は人間の言葉、心理、それを作る社会と切り離すことは出来ないばかりかそれと同体である」と言っている。ここにも一元論の原理が観念論であり観念論の原理が一元論であることと主張が見つけることが出来る。観念論の基盤が一元的に人間一般に共通性がなければ人間ではない〝人間性〟にあるからである。

＊以下も年代を入れていく意味は、お互いの影響関係、同じ時代状況の下にどう表現しなければならなかったかもそうであるが、完全に時代を離れても時代状況に関係なく現れる普遍思想を示す役割もある。思想はガリレオの自然科学や文学同様普遍的でなければ価値がない。

＊前提：自然科学での客観性は二元論的分析の中に、哲学でのそれは一切周囲との関係を切らずに完全総合状態（有機体）での〝共感〟にある

まずは以下の論考に於ける前提となる。

自然は人間個人や人間社会が出生、発生する以前からそこに存在している。意識や知識は、個人にとってはまずは両親から、そして社会を形成し人間各人がよりよく生存するために自然を後追いして形成されるものである。その意味で不完全と成らざるを得ない。

また、人間であることの条件は全ての人間において全く同じで、人間性に個別的違いはない。しかし、この普遍的人間性は完全な形では全ての人に潜在せざるを得ない。この完全な形は宗教に於いては一神論に於ける〝神〟と呼ばれた。

そして、観念論では主観に超越（到達不可能で絶対的に従わなければならないという意味では正しい。）した人間観、世界観はないということになる。そして、それは一元的で普遍的である。全ての人間が、超越とは反対に、潜在的には例外なく共有出来るものであるということである。

自然科学での客観性は、主観の外にあると考えられる対象を相手にし、その手法は分析的で、漸近的に対象に迫る。

哲学や文学などでは、客観性は全ての要素が関係したそのままの状態で、各個人の間の〝共感〟によって得られる。関係性は大まかには分析は出来るものの、その数は無限大であるから、自然科学的分析以外の方法で客観性を得ることになる（K. Lorenz 等は科学的な数字以外で「直感」の役割を客観性の中に取り入れるべきだと主張している）。

万人共通の人間性を持つとしたら、共感、直感によって一時的にでも客観性を得ることは決して非科学的、非合理的ではない。共通性ということが客観性の意味であるから、潜在的構造である〝普遍的人間性〟が顕在化する稀な時であるからである。したがって、〝共感〟が得られた時は、一瞬でも全世界、全自然が垣間見られる時でもあるとも言える。大発見の時もそのような時である。

二人の人間が共感し合い共同作業をすると大きな結果をもたらした例は過去にも現在にもある：オートバイの会社である情熱的である本田は彼の会計係である藤沢武雄とのコンビがその成功をもたらしたことは藤沢の社会性のある助言が非常に適切であったことによる。その共同成果があのスパー・カブである。また、ビートルズのレノン、マッカートニーのコンビも有名で、一人ひとりがそれなりに優れていてもバラバラになったときよりも一緒であったときのインパクトのほうが大きい。こういうことが稀であるだけに客観性の意味は大きい。

人間の関係性がどんなに複雑多様であっても、〝共感〟によって高度の、あるいは最高度の厳格性が想定出来るのも、人間性が各個人に於いて〝完全同値〟である事実による。最高度の厳格性は人間の外にではなく、人間そのものにある。人間が取り巻くものは多種多様で、物質的には家、服その他、精神的にも経済、政治などがあるが、それらは全て人間が作り出したものである。それらの見やすい外見的なものに捕らわれて人間本来を軽視してしまう。ルネッサンスのように、教会の神信仰から独立して常に〝人間性回帰〟が新たな確信の原点となる。

有機物は自然から独立して生命を保っているように見えるが、外の世界とは多様な関係を持っている。多様な関係を持っているが故に独立して行動出来るのであろう（無機物は生命の代わりに自然とのより安定した関係を持っている）。そして、そのどの関係を取り除いても、その生命が危うくなる。それだけに有機物は世界を（あるいは全世界を共有する。）写し取っていると言える。また、関係を取り除いては生命を客観的に観察することは出来ない。人間は状況との複雑な関係性の産物であると言うことになるが、関係性を一個一個取り出すと人間性が遠ざかっていく。全ての関係性の中で〝共感〟を得ると言うことは人間性のパターンの中にシンプルなものがあり、究極的人間性が一つであることがその客観性の土台となる。

そこで、観念論での主観性の絶対的に外すことの出来ない観察手段と言うことを考えると、人間性という概念の完全な共通性に目を付けることが出来、そこから客観性を引き出すことが出来るであろうと考えるわけである。

以上のことは言いすぎのようであるが、そうではなく、論理的に証明出来るはずである。

したがって、合理主義（理性）、一元論（言葉）、観念論（主観主義）は哲学の客観性にとっての必要十分条件となる。

以上のことを言い換えると、

1）自分の主観性抜きに何も考えられない。

2）考えをまとめるには自分という生物学的、精神的一元性がなければならない。それが自然や世界や社会の一元性に繋がっていく。

3）自分の主観性を意識するには他人との意見交換がなければならない。社会の存在が必要である。

4）他人と意見交換するには、それが潜在的であっても、人間としての基本的共通性がなければならない。そして、各々の違いが原因で意見交換する。

また、以上の絶対基本概念は〝抽象的概念〟であり、日常的に考えるものではないので、科学に於けるように段階的に進むわけではなく、その時代ごと、その人ごとに、学び直すことによってゼロから到達、接近する。したがって、進化はなく、必ず以前から言われていたことの中に同じ要素が存在している。

以下、この前提の説明となる。

1 人間性の恒常的普遍性、これが哲学の普遍の基準となる

(a) 自然科学、唯物論—独我論、唯心論、観念論、宗教

科学的合理主義の極致に見える〝唯物論〟というのは、エピクロス、ルクレティウスのように昔から個別的には存在した。しかし、啓蒙時代、産業革命を経て合理主義的な考えが広まるに従って、フォイエルバッハ、マルクスなど哲学での唯物論と合理的志向なしでは成立しない自然科学が発達した。産業革命と共に経済的発展に従って識字率が上昇したことにより、社会的組織が緊密になり宗教に縛られない客観性の世界が広がった。

また一方、カントの観念論による自称コペルニクス的転回によって、今迄客観性のないと見られた主感性を合理的、つまり客観性の基盤であることを証明されることになった（万人普遍の〝統覚〟という概念）。強調しておくべきことだが、これも古来プロティヌスやエックハルト（カント以前ではスピノザに少々、ライプニッツにも）にも歴然と見つけることは出来る考え方でもある。しかし、このカントによって客観的に証明されたはずの観念論が、時代の急速な発展が、それなりの理由があるにしても、それを振り返ることを阻んだように見える。不思議なことに、哲学の場合、しば

しばあるように、その完全な理解が根付かなかったことになる。より明解な講義の影響は即座ではあるようだが、難解なドイツの哲学書での影響が難しかったとも考えられる。

α：フォイエルバッハと産業革命

特にフォイエルバッハは1804年から1872年の時期に生存し、啓蒙時代に続き産業革命が社会に実質的に大きな影響をもたらし始めた時で、彼の思考にそのままダイレクトな影響をもたらしている。彼の卒論：「統一的、普遍的、無限理性について」でヘーゲルの観念論を実に合理的に完成した形で解説しているにもかかわらず、後にそれを非合理主義として引き離していることには、注意しておくべきことであろう。フォイエルバッハの観念論解釈が不十分であったのであろうとも考えることが出来よう。

啓蒙思想によって個人的自由の範囲が芽吹いて観念論が出現し、正に「個人個人の主観の目覚め」がそうさせたように見え、産業革命によって逆に「観念論」（主観論）が合理的社会の理解として広まる前に、早まって非合理主義的だと誤解されてしまい、以後ルネッサンス哲学を研究したカッシーラーなどの一部を例外として、名のある哲学者が引き継ぐことは、現在に至るまでないと言うことは、自然科学の実践的有用性が、特に表面に於いて、強い影響関係にあることが理解出来る。

β：主観と客観、観念論

人間は他人の様々に異なった経験を見たり経験したりするのも、その経験主体の共通性を通して、遅かれ早かれ他人を理解していく。他人の話を聞けば聞くほど人間の一元性を推測し、遂に確信していくのである。さもなければ理解ということは存在し得ない。ここに主観の客観性が見えてくる。**客観性とは社会によって言葉を与えられた自我のこと**である。

また、人間は自然の一部であり、人間は人間性あるいはその肉体という自然に依存してはいるが、一応独立した一体系を持っている。この体系に従って、自分に欲求などによって繋がってはいるが故に外に見える世界を観察して（自然との繋がりがなければ観察する動機がない。）、自身の生存方法を探っていく。したがって、社会を通して自己に反映された自然は、人間にとって、それ以外の自然はなく（また全ての自然と繋がっている）、つまり、その自然映像は主観的であるが、それが同時に客観性でもある。それがまたドイツ観念論の意味でもある。

主感性とは孤立した人間の感覚であるが、しかし、そこには万人共通の感覚という客観性が存在している。その感覚を社会に出会うことによって、言葉を与えることで、自己意識を持ち客観性を獲得していくことになる。表現された言葉はすでに客観性にコミットしているが、後はその言葉の構成を、より多くの他人を知ることで、より確実な客観性に近づけていく。ただし、人間は生きている限り、また人間の生には限界がある限り、完全な客観性には到達出来ない。これが故に、人間個人は人間より大きなものが存在するとの感覚を持つ。この人間より大きく見えるものは自然全体の組織であるが、宗教に於いて神と呼ばれていたものであると考えることが出来る。その大きく見える自然に従わなければ、人間の個人も社会も存立することが出来ないものである。あたかも自然全体が絶対的神として命令しているようにも考えるのである。黎明期の人間においては、自分の存在を社会によって守ろうとする必然的、自然発生的な考え方であろう。この命令と罰を与えるばかりのモーセの〝十戒〟の冷厳な神を、より受け入れ安くするのに〝神は愛なり〟と言う。この方がより愛着を持つであろうし社会的結合を強化し、争いを少なくすることが出来るであろう。それなりの客観的な根拠がありそうだ。

ところで、観念論以前に主観性を強調する論理に、**独我論**、**唯心論**と呼ばれるものがあるが、自分の自我が正しいとか、自分の心に写ったものが優先されるという意味で、極端に持ち込めば自分一人が正しいとか、心以外には存在しないとの極論として、批判の対象になったり論争になったりするが、これらも自然の中の人間の主観であり、それ以外の出発点がないとすれば、その反対概念であると思われている唯物論と共に、その根拠はそれなりに抜き難く持っているのである。主観も、客観も共に人間の一元化、客観化された自然である主観の中にその根拠があることになる。主観も、自然に囲まれ自然の中に取り込まれていることから、唯物論の根拠である自然という客観性の中に、人間の主観性があることに気付くことで、それらの相反する主張が自然に作られた主観という一点から出ていることに気が付くはずである。

時代により、状況により、強調点が違ってくることで、また人間の意識が形成されていくのであろう。

(b) カント観念論とスピノザ二元論

大哲学者の遺稿で、公表が非常に遅れたこともあって、いまだに十分な評価の得られていないものがあり、かつ非常に重要な考えが記されていると解釈出来うるものがある。それがカントの遺稿（Opus Postmum）であろう。

また、ドイツ啓蒙主義時代（18世紀末～19世紀半ば）は、恐らく一世紀前のオランダより保守的で、啓蒙主義とはいえ、時代の社会的圧力は強く矛盾する二つの力が出会い、啓蒙には知識人が先行し、その思考が内向するような方向に向かって、逆に英仏には見られなかったような哲学的傾向の強い文化人の一団が一時期に輩出されたように考えられる。それだけに、公表された作品には、本人の真意が、特にその時の中心課題でもある宗教に関して直裁に表現されず、難解な文章になってしまったと解釈した方が良いように思われる。その点で多くの知識人が感染したスピノザの役割に注目することは、それらの難解な哲学者達を紐解く重要な鍵、あるいは最重要とも言える（スピノザは神と宗教について語ってはいるが、それは哲学体系一般に関わり、哲学体系の中心でもあり全体でもあり、したがってドイツ観念論者達の中心思想でもある）。

カントは1794年、当時の宗教大臣と彼の講義に関して衝突している。当時の覚え書きには「意見の撤回は卑劣である。今の状況では沈黙が臣下の義務である。しかし、人が語る全てが真であらねばならぬとしても、だからといって全ての真を公然と語る義務はない」。また1766年、メンデルスゾーンとの手紙の中で「この上もなく確信を持って、更に私の大いなる満足を持って、たくさんのことを考えているのですが、それを私は決して口に出す勇気を持たぬでしょう。」と言って特に宗教問題についてはっきりとは言わないことを決心している。これで大学に職を持つ身のカントが時代圧力の下にあったことが理解出来る。この事実はカント、ひいてはヘーゲルに於ける神、宗教問題に関する解釈に役立つはずである。中心の問題から説き起こすことの出来ない状況から文章が厄介なものになったと考えることが出来る。

難しいだけに、後に読み解こうとする人達には各哲学者のテキスト・クリティックに忙殺されてしまうが、それは全体的視点や真意を見失われ安くしてしまうことにもなる。したがって、困難な箇所に拘泥せずに、どんな状況にも変化しない共通の基盤である哲学の立場（つまり自己）に立って見ることで、真意を見抜き安くなるであろうと思われる。そして、真意という、より深い考えは読者との共通性ばかりではなく、各哲学者の共通性も見えてくるような、より深いものであろう。より深いものは共通であるだけに、意に反して、より明確で分かりやすいものであろう。日常的忙殺の下には隠れていても、直感的に理解のいくもののはずである。しばしば個人的プライドの争いである論争に明け暮れると、この視点を見失いがちになるが、この場合は経験を重ねることで、この哲学の直感的共通の場を獲得出来なければならない。カントの言っていることも、ヘーゲルの言っていることも出発点は非常にシンプルで明解なはずである。それは、単純に言えば、それを外しては考えることの出来ない主観の客観としての証明である。

ヤスパースはカントに関して自我の役割に関してこんなことを言っている（カント：P63）。「自己と同一であるこの自我は、思惟作用の統一性および思惟されたものの統一性に対応する。この〝我思う〟（Cogito）の統一性の範囲の中で、あらゆる思惟は動いている」。また「この客観統一の根拠をカントは、客観的統一に対応した、最高の、乗り越えがたい、思惟の主観多岐統一としての〔超越論的統覚〕なる用語で把握する。〔判断〕とは、与えられた認識を、統覚の客観的統一にもたらす仕方である。」

α：カントの遺稿

カント（１７２４～１８０４）の**遺稿**（Opus Postmum）が編集し発行されたのが１９３８年。ナチス・ドイツがオーストリアを併合した年である。したがって、混乱の始まりの時期に出版されたと言える。また千三百ページ余り、12束（カント全集22巻、23巻）もある大部のもので、それは手稿であって、非常に短い文で、繰り返しも多く、句読点も文の終わりもはっきりしない。このうちの二束（**一束と七束**）**は世界、自由、自我、スピノザの神概念**にかかわるもので、カントの生前スピノザ影響がはっきりしなかったものがより分かりやすくなっている。カントは「判断力批判」の最後で、全てを言い切ったとしたが、それを翻して、最後の重要な書物を書こうとしたのが、この遺稿であるようであるそうだ。カントは司書をしていたせいか、スピノザのどの本をいつ読んでいたかは同定出来ないようである。実際はかなり晩年かもしれない。

β：ドイツでのスピノザ、その圧倒的な影響（一元論と観念論の同根性）

ヤコービが１７８５年にいわゆる「**スピノザ書簡**」を発表し、当時の人気劇作家**レッシング**（１７２９〜１７８１）が、当時のドイツではいまだスピノザは危険思想と考えられていた時期に、私的会話で「**自分はスピノザ主義者である**」と言ったことを公表されたことが、**ゲーテ**（１７４９〜１８３２）、**ヘルダー**（１７４４〜１８０３）をはじめ当時の大半のドイツ知識人をスピノザ思想に感染させてしまった。これはその後、**ハイネ**、**フォイエルバッハ**（１８０４〜１８７１）、**マルクス**、**アインシュタイン**まで続いた。またシェリング、ヘルダーリンに遅れてヘーゲル

（1770〜1831）にも達している。

スピノザは〝神〟概念を合理的に解釈し〝自然の体系の総体〟（つまり、存在する全て）であろうと考え、全てはこの神概念に一元的に包摂されるスコラの用語で〝実体〟と考えた。これは信仰者にとっては神否定の冒涜と思われた。信仰の原理を読み解いてしまったからである。信仰心は読み解かれ得ない心の問題であって、知性の問題ではなく、神は人間を超えた絶対崇高なものだったからである。

カントは、ピエティスト（信仰とも言える厳格な道徳主義・恐らく道徳的にそうであって、信仰としてのものではなかっただろう。）であるのにもかかわらず、この一元論をこの遺稿において自分の観念論（主観論）に同根のものとして結びつけたことになる。また、理性（やその結果である思想体系）が言語同様一元論を前提にしなければ成立しないこと考えれば、各々が哲学の最重要の要素であるスピノザやプロティノスの一元論が、観念論と統一されるのは必然の成り行きとなる。時間や空間、因果論などを決める主観が一元的（統覚）であり、そうすることで自然科学と哲学における客観性の潜在的基盤が成立することになる。自然科学での客観性が強調される余り、現代では自然科学が人間の主観性の上に成立していることを考えることは出来ないように思われている。カントの観念論はあれだけ体系的に語られているのに、それがすでにカントに於いて、客観的（科学的）に証明されたものであることに現代では思い至らない。それは哲学においての話であり、観念論者だけの話だと思われてしまっている。しかし、そのカントの証明は、その時代カントの観念論が一群の大きな哲学者を生み出した理由にもなった。けれども、自然科学や社会の産業革命による急速な発達が、それを非合理的だとして否定するような方向に行ってしまったように見える。哲学が一部の人間の営為であって、一般に浸透することの難しさもあって、人間の理解力も時代の波には勝てないのか、そもそもカントを理解するには、自然科学が一定程度の進展の後に反省として初めて理解されるのか？　しかしながら、やはり、それ以後に来た理論物理、相対性理論と量子力学には主観の問題が隠れているように思われる。

この客観性の基礎をカントは万人共通の感覚である〝**統覚**（**Aperzeption**）〟と呼び、**スピノザは**〝**共通感覚**（**sensus communis**）〟呼んでいる。各人各様の呼び方はしているもののその指すところは同じであろう。細かい違いを追求しようとするのは、その哲学者個人を解釈しようとする試みで、共通の内容を追求している哲学とは別物である。

また、カントは自分の観念論を〝超越的観念論〟と呼んでいるが、この〝超越〟の意味も人間を超えたという意味よりも絶対的（に従わなければならない法則）であって、彼の言い方をするならば、〝定言命法的〟（Kategorische Imperativ ＝絶対命令）意味に取るべきであろう。なぜなら遺稿には神概念（絶対超越的道徳―実践命令）は内在的であると取れるからである。これも時代状況に従った（検閲を避けるための）言い方になるであろう。そのまま言葉の表面上通りの解釈は、彼の真意を誤解させてしまう例ではないであろうか。カントのピエティスト的言い方と見るべきである。

γ：一元論の実生活にもたらす影響

この一元論の実生活にもたらす結果は大きい。自己の客観性を得るには他人との対話が必要なのだが、これは他人を知ると同時に自己を知ることになるのだが（ここにも主観性を強調する観念論が見られる。）、これは他人と自己の共通基盤（統覚）を想定している。知れば知るほど他人という多数性が、自己という一者性に収斂していく。多くの対話を通して、共通の自我が一つしかない（万人の自我が共通）ことに推測が出来てくる。この推測の下には衝突や怒りは、どこか誤解や知識不足に基づいていることに気が付くであろうし、また孤立した人間とは、それ自体が矛盾していて、両親から生まれ家族で育つ人間の生来の社会的生誕を考えると非科学的であり、安定や平和観、幸福感がないであろう。また、精神や肉体の病気の原因にもなるであろう。コミュニケーションすることで、社会や時代の変動にも対処し安くもなるであろう。ただし、人間の生には限界があるので、誰も完全性に達することはなく、比較級しかないが、だからといってこの方向性を否定し、そっぽを向くことは出来ない。それ以外の道具がないのであるから。

δ：宗教の起源：宗教、社会、言語、合理主義、民主主義

この人間個人の普遍性を仮定することによって、異なった時代、異なった場所に於かれた人間を、生まれ育った時代の偏見なしに理解することが出来、古代に於いて社会の形成が必然的に宗教を伴い、知識人だけでなく全ての人を対象にした宗教的シンボリックな言葉（メタファー、暗示）や例え話や誇張が、ちょうど子供にメルヘン的言葉が使われるように、社会発生時の避けることの出来ない最初の言語であることが理解出来るようになる。自然科学の発達や社会組織の整備（司法、ジャーナリズム、民主主義その他）、大都市の形成は社会の発展と濃密化によって出現し、宗教に代わっていく。

キリスト教の聖書は多数の人間に書かれたようであるので、統一的解釈が難しく見えるが、それでも統一性があり、あるいはそれが故に統一性が見えればそれだけ深みを増すものであろう。

一方、これとは反対に、個人が社会から切り離されることによって、現在の記憶が徐々に失われるに従って、考え方は必然的に古代的思考に里帰りするようになる。また、社会が発展しても、人間のキャパシティーには限度があるために、昔のことを忘れてしまって、自分個人が進化したように誤解してしまう面もある。先進国の人が後進国の人々を、今世紀の人が古代の人を遅れた人間のように思ってしまう傾向がある。また、この普遍的人間性は時代や環境が全く異なった所の文学、芸術作品に感動させられる時にその潜在性が目覚める。

宗教は社会が形成され始めると、その社会を維持するために社会と同時に出現する。この過程は、社会の混乱を見たモーゼが十戒を作る過程でもって、旧約聖書に描写されている。これが西欧の中世を経て啓蒙時代に至る社会の拡大発展、ラテン語の少しずつの拡がりやグーテンベルグの印刷術の序々なる拡がりが産業革命を突き起こして、より合理的な思考の必要性が出てきた。言語も、教育が広がっていくに従って、シンボリックな言葉が合理的、具体的、描写的な言葉に変化していく。社会の発展拡大は言語の形成と密接に関連している。石に刻まれたくさび形文字、フェニキアの文字や紙は聖書（もともとは単に〝聖書〟は〝本〟を意味したが、書いたものは非常に稀で大切であったので〝聖書〟と言われるようになった。そして〝本〟が正当な意味であろう。）に少々先んじていた。言語は社会を意味している。

また前に戻るが、このカントの遺稿のことについては、日本では最近坂部恵が少々書いているが、**２００２年にトゥシュリング（Burkhard Tuschuling; Marburg）が「超越的観念論とはスピノザ主義のことである」（"Transzendentaler Idealisumus ist spinozismus"; Reflexionen von und uber Kant und Spinoza）**という論文を**「18世紀におけるスピノザ」**（Frommann）に掲載している。この二つの体系の同一性を強調することは、カントが自分の「純粋理性批判」がコペルニクス程の大変革と言ったように重要なことと思われる。

この点に目を付けることが大幅に遅れたのは、第二次世界大戦中までにしか発表出来なかった遺稿が戦後の混乱を経なければならなかったこと、遺稿が死を直前にした草稿であり解読が難しかったこと、健康なときのカントの主張と異なるように見えること、ドイツが啓蒙の時代が始まったばかりで１５０年前のスピノザのオランダよりも表現の自由が制限されていたこと（スピノザの先代達が**マイモニデス**〔ユダヤ、

1137〜1204〕と**アヴェロエス**〔アラブ、980〜1037〕の合理主義的思想を生んだアンダルシアからの移民〔マラーノ〕であり、また、それ故特殊なユダヤ人社会の中で育った）、それが理由で合理主義的な考えを持つカントもフィヒテもヘーゲルも直接的な言い方をせず文章が難解になってしまった要素が大きいように思われること、社会革命がフリードリッヒ大王による上からの変革しかなく、フランスのように民衆からの社会革命によらなかったドイツが啓蒙主義が内向したことが、逆に哲学が英仏より大々的に発達した理由でもあるようだ。奇妙に見えるようであるが、改革派であるルター（時代のせいなのか、彼は反ユダヤ主義者でもあった。ヘーゲルも）、プロテスタントはカトリックよりも道徳意識は強く社会的引き締めや検閲はやや厳しかったとも考えられる。その時代の有力な編集者であるニコライは、ドイツ哲学の難解さを嘆いている。これは、これらの哲学者の真意などを読み取るには恐らく重要な鍵と思われる。

(c) 光と$E = mc^2$（アインシュタインと量子力学）、光が主客の限界と無限性をなす

アインシュタインによると光速度はどこで観測しても一定であることにより、光速度より速いものは存在せず、光あるいは物質のないところには存在も何もないことに

なる。物質と光はエネルギーを介して互換性を持つ。このように一方で限界があり、他方で全てが姿を変えながらも繋がっていることで、統一性と無限性を持っている。アインシュタインが追求した重力を始めとした4力を統一しようとした〝統一場理論〟がその方向に向かいながらも容易に到達しない理由でもあろう。それが到達出来たとしたら、必ず次の問題が出現してくるであろう。この先は純粋な哲学問題なのである。統一が不可能である、あるいは理性では全てが捉えられないからと言って、〝統一〟の意志と〝理性〟を放棄することは間違いである。それは〝社会〟を放棄すること、〝生〟を放棄することと同じことを意味する。しかし、2018年になって初めて重力を計測することに成功し、またアインシュタインの3力の統合にまで行き着いている。

また、アインシュタインに端緒を持つ量子力学では、その限界物質である光は観察手段である光によっては、決定論的に同定は出来ない。光は同時に人間主観の観察手段でもあり、同時に客観的観察対象でもある（古代から〝光〟は理解、啓示の象徴であり、啓蒙はフランス語で〝光〟と言う）。これは、観察主体である人間個人個人の生が、自身を含む観察対象である自然全体に取り込まれていることも示しているとも言えよう。主客が連続していて、自然科学の場合、個人的ローカルな主感を、統一的な主観である客観、つまり誰もが認められる感覚を基礎に排除していくのに対して、哲学では自身の主観を対象にして、つまり主観が主観を対象にするので、客観の基準が、各個人特有の活動によって深く沈み潜在化せざるを得ない。しかしながら、各個人の主感から垣間見える共通主観は、潜在している客観性を見せてくれ、これが皆に共通なために、共感を得ることが出来る。各個人の活動により、皆が共有しながら潜在的である共通感覚は、その潜在性と共有制の故に難しい努力が必要とされ、それ故、それが一時的にでも掘り出されたときには感動を生む。各分野で古典として残った作品がこれを証明している。〝感動〟とは人間個人の努力の結果によって得られる現象である。この共通性が各個人を社会へとまとめる力であり、人間はまとまることで力を得る。

また、シュレディンガーは、アインシュタインへの手紙の中で「現実に存在する世界という概念は、同一対象に対する同一ないしは相似の状況に遭遇した全ての個人の広範囲に渡る経験の共通性に基づいています。」と言っている。ここにもまた、カントの〝統覚〟やスピノザの〝共通感覚〟と同じ概念を他の人も考えていることが解る。

また、〝光〟というのは古代から〝人を導くもの〟、〝理解〟等〝ポジティヴ〟なことの象徴として使われてきた。これは、現代の科学的な意味での光と矛盾するものではないことは興味深い。古代の人達も直感的にではあるが、それを理解していたと言えよう。古代に於いては、大半のことは象徴を使って概念形成しているが、古代も現代も同じ人間という種に属する限り、その象徴や客観的言語の指す具体的内容に関しては、全く同じものであるはずであり、象徴的言語は現代の自然科学的言語に翻訳出来うるはずである。さもなければ、古代の人間と現代の人間は、全く異なった生物で理解不可能となり、理解不可能ならばその存在を確認することも出来ないであろう。ここにも、自然一元論が適用されるはずである。言うならば、〝光〟で全てが繋がっているといえる。ここには神話、象徴、宗教の解釈などの理解可能性がある。逆に現代の自然科学が、社会が組織化されたことにより、それらの起源をより合理的に理解出来るはずである。そして、遂に人間そのものの（完全ではないものの）理解に導かれるのである。

(d)「歴史は繰り返す」と「歴史に学ぶ」

人間の知識は常に何らかの形で不完全で、一時ある分野で、最高の形で達成されたとしても、後の世では時代状況が変化することで、再度その意味を繰り返し学ばなければならないように、人間の知識は限られている。歴史には文化的に目覚ましい時期として、例えば古代ギリシャ、ルネッサンス、啓蒙時代とおのおのが時には何百年も離れてとびとびに出現している。人間が「歴史に学ぶ」とすれば、それらの文化が直線的に進化拡大しても良さそうなものである。ところがルネッサンスのように「古典復興」と言って再度古代ギリシャに新たに学び返そうとする。ローマ帝国の国の建設、中世のキリスト教による社会の安定化など、他の大きなことに関心の中心が移って、文化の方はおろそかになる。国家が安定してくると、初めて文化に対する経済的余裕が出来てくる。人間や人間社会は、一度には全てのことに神経を注げない。昔のことを一掃して新たなことを建設するためであろうか。社会、国家も歴史も一個の人間のように一度にいくつものことに集中することは出来ないようである。国家社会も集団的体制であろうとも、民主体制（リーダーが入れ替われる利点はあるが）であろうとも、一人の人間の考えの基に動かされていることによるのであろう。これがために、歴史も個人のように、偏りがあるために直線的に良くなるわけでもなく、その偏りを、新たな偏りでもって、修正しようと、行きつ戻りつ飽くなき歴史的変転するのである。

このような歴史的変転の中で変化するのは、構成する個人個人そのものではなく、個人の集まりである組織化された社会が膨張進展していくからである。情報の共有の拡がりがその社会の進展の原因である。「歴史から学ぶ」ものは、この情報の共有においてである。個人には限界があり、この限界が起き上がり小坊師のような人間の生であり、生きようという意志になる。

個人にも社会にも限界があるとすれば、それが歴史を繰り返す原因となる。

② 哲学の成果は、自然科学のようにすぐに客観的なものとして皆が受け入れるようにはなかなかならないのはなぜか？

まず一番目のことに関してであるが、これはカントの〝統覚〟の定義に於いて、統覚は、人間主観にある基礎的な感覚は共通普遍（さもなければ人間存在として成立しないもの）であることから引き出されてくるものである。この主観が万人共通普遍であれば、それが主観と呼ばれようとも、人間行動の客観的基準となる。これは哲学においての、自然科学に於けるような客観的基準となる。哲学も自然科学も全く同じ客観的基準の上に成り立っているのである。これはあらゆる人に潜在している共通普遍の基準となり、**直感の源泉**ともなるものである。このように言うことは、一般的感覚からは遠いように見える。皆がバラバラな意見を持ち、まとまりようがないように見えるからである。しかし、そうは言っても、社会を形成している以上大いに一致している面もあるのだが、とかく人間は問題になった方を強調し克服しようとしている。うまくいっていれば、言うことなしなのであるが、こんな理想は成り立たない。とにかく、生きている限り問題は避けられず、一致の喜びと同時に問題が避けられないことも、生きている証であるからだ。生きていることは、普遍性が垣間見られるものの、問題が起きることで、人間の不完全性を感じることを避けることが出来ないが、それを克服しようとすることが〝生きる〟ことなのである。哲学はこの人間の主観性そのものを対象としているので、自然科学のような比較的短期間での全員一致の普遍性になるものが見えてこないように見える。しかしながら、このカントの統覚というものは、主観に普遍性、客観性が百パーセント顕在することは決してなくとも、その潜在性を証明している。この普遍性に近い解答を出している哲学者が近代ではスピノザ(共通感覚)とカント以下の観念論者であると考えられる。

また昔から、例えば**プロタゴラス**が「**万物の尺度は人間である**」と言ったり、**プラトンのプロタゴラスで**「**自分自身を知れ**」、**またデカルトの**「**我考える故に我あり**」、**プロティノスにも、エックハルトにも、ウパニシャッド**など東洋の哲学にも普遍的に見られる、主観を究極のものとする客観的観念論である。カントの意味するコペルニクス的転回（逆にこのコペルニクスの視点は観察拠点である地球を相対化するという意味では反対のように見えるのも興味深い）はここにある。先行者ライプニッツの後に、カントも古くから短く箴言的に言われ続けている事実を前面に出し、体系化し、分かりやすくなったかは別として、彼が気付いた部分を全て説明しようとして、説得力を持たせようとした努力をしたと言えるのであろう。人間性が普遍であるから、古くから言われ続けられていることには普遍性があるのだが、直感的に理解し、感動もしていても各人がこれを十全な意味で納得するのにも時間がかかってしまう。これが、（人間が人間自身を見つめる）哲学に於ける普遍性が、人間の外の対象を扱う自然科学のようには表れない理由でもある。思考がミクロコスモスである限界のある一個人の意識の中（主観）でしかまとまった形で完全な体系をなさない、ということもその原因となろう。なぜなら、各個人に万人普遍の体系は潜在してはいるが、各個人の状況や専門によって偏りがあり、この偏りが、他の偏りを受け入れて同時共同作業をすることが不可能に等しいからである。

また、観念論に従えばマクロコスモス（人間を含めた自然全体）を映し出すことが出来るのは、一体系をなす一個人であるミクロコスモスの中でしかないということになる。観察主体である現実の個人なしに、存在を確認することは出来ないからで、これはあらゆる個人にとって同じものである。これは余り強調されたことはないように思えるが、観念論の結論そのものでもある。これはルネッサンスの哲学者達、ジョルダーノ・ブルーノ等多くの者達の考えでもあった。この理由で、自然科学が限りなく進化しても、決定的結末に達しない理由も理解することが出来る。社会組織がより緊密に接続していくことで、視野が広がることによることが終わりのない科学の発展の理由ともなる。それに比べると、哲学は常に同じことに気付くのではあるが、その時代性と関係付ける過程で、その定義や言葉が精緻になってくるのである。何度も古くから言われて無感覚にさえなってしまったものを振り返って見直すことが発見となる。主観、自我、あるいは人間個人の本性は変わりようがなく、潜在的本性をより顕在化するだけなのである。しかし、このより顕在化させることが大きなイフェクトを生むのである。人間のあるべき行動を客観的に決定していくものだからである。また、これは宗教が生まれたときの〝神〟という概念と同じであることに、スピノザとカントを同時に考えた人達には理解出来ることであろう。それは姿がなく、高度に抽象的で一元的であり、人間の行動を規定するものである。スピノザはこれを自然全体のシステムであると規定した。当然、この合理主義的に考える神の概念は超越的ではなく、主観のミクロコスモスに内在することになる。超越神の発明は、不完全な意識を持つ人間個人である自分や他人を信用することの難しさから、道徳を納得し、自然に実行することの非常に難しいことから、絶対的な力を持つものでなければならないというわけで、自然生成したものであろう。現代に於いては、古代に比べて社会的組織（民主制、警察、裁判所、政府組織など）がより整って、宗教の役割はほとんど後退してしまっているが、宗教に於ける信仰心は良心（Gewissen）という形で残っている。さまざまな道徳、例えば、両親を敬えとか、兄弟げんかするなとか、その理由を説明する前に叩き込まれる道徳である。これは宗教的、信仰的構造を持ったものであると思える。このようなことから、古代に必然的にあった宗教を解釈することが出来るであろう。すると、宗教を否定することは自分の足下を否定することになろうし、少なくとも宗教の起源を理解することが出来ないであろう。

超越神を言葉通りに取れば、それは信仰であって、合理的に解釈することは出来ない。宗教と信仰を合理的に解釈することは、信仰の立場からは当然受け入れることは出来ない。信仰はその複雑な社会的緊急性に従って、説明（哲学）は後回しにして、まずは受け入れなければならないことであるから。宗教の合理的解釈をする者は個人である。なぜなら、社会的な刺激の下に、個人というまとまった体系の中での、一貫した体系的積み上げが必要であるからである。それ故、あらゆる大発見は、個人の作品となっている。その成立過程の異なるこの個人は、集団の宗教の側からはほぼほとんど除外の対象となる。この成立過程の異質で、テーゼ、アンチテーゼの長い反芻過程の必要な合理的解釈は、即時的信仰で平和を保ってきた集団を危険に陥れるものだと集団は考えるからである。その積み上げのない者にとっては、今まで自分が信じてきた絶対的権威の否定となり、それが社会を危険に陥れると思えてしまうし、その考えを共有する人達が増えることは、自分たちが信じてきた社会を壊すと考えるからである。スピノザの考えが、社会の中の一部をなす知識人集団ではあるが、受け入れられるようになるのは、約150年後ドイツでレッシング、ゲーテ、ヘルダー、ヘーゲル、フォイエルバッハ、マルクスなど、ハイネによればその時代の知識人を総なめしたそうであるが、それもいまだおおっぴらに宣言出来るものではなかったようである（レッシングもゲーテも個人的な会話の中で語っているだけである）。同時期のより社会的に進んでいたように見えたフランスやイギリス（その時代にはすでに統一国家であったからかもしれない。）ではいまだ無神論者として日陰者のままであったようである。この意味でドイツの観念論の興隆、シュトルム・ウント・ドランク、そしてドイツを中心とした理論物理学の興隆と同時に初めての民主主義国家であるワイマール文化は時期的なずれがあるものの、イタリアのそれに匹敵する文化的ルネッサンスだということが言えよう。以後、カントとスピノザに強い影響を受けたアインシュタインをはじめとする１９００年初頭のドイツの自然科学の興隆も、その中心人物がスピノザの影響を受けた人間であることも注目したいところでもある。アインシュタインの一元論の追求（統一場理論、２０１６年2月11日になってようやくこれに必要な重力波が確認された。）や相対論に於ける主観的視点への変換も興味深いところでもある。イタリア・ルネッサンスの後、ボッティチェッリをも巻き込むサヴォナローラの反動を生んでいるところも、平行性が見ることが出来る。これらの反動現象の後に文化、経済の中心が西周りに移動していることも注目すべき事実であろう。

また、この存在（実存）の不完全な世界と神（自然）の完全な世界の違いはニュートリノの世界でも平行関係が成り立っていることを思わせることがある。イギリスの理論物理学者であるディラックが、〝物質〟に対して〝反物質〟（反物質は物質を吸収して存在を無にするものであるとされる。）があることを予測したが、その後ロシアの物理学者であるサハロフが、このバランスが十億分の一、物質の方が、つまり存在の方が勝っていることを証明している。このために我々の存在世界があることになる。プラスとマイナスの力がこれほどに微妙なことであることは、我々の世界にはそれだけプラスの世界を維持しようとする努力が大いに必要となるのである。これが人間の道徳を何が何でも強く訴えようとする宗教と信仰の起源であろうと考えられる。教会や神社仏閣が、どの町でも大きな中心となる理由であろうと考えられる。人間が社会道徳を理解出来ずに破ろうとする力は、社会の成立によって必然的に生み出される貧富の差による生きるための犯罪等、非常に大きいから、これを押さえようとする力も当然大きくなる。何やら非合理的に見える宗教やそれに伴う信仰という現象が、このように理解することが出来、それらには合理的な起源があるからこそ、これだけ力の強い普遍的な現象となっていると考えられる。こう考えると、姿のない遍在する強い一神教の神という概念は、実に根の深い合理的概念であることが理解出来る。その意味でストア、ブルーノ、特にスピノザ、観念論者達の連綿と続いた考え方は、全く避けて通れない中心的思考であると考えられる。

また、我々は時代の古いものは時代遅れで非人間的な面が強いように思ってはいるが、この進化と見えるものは実は人間自身にあるのではなく、各社会が密に寄り添っていくことでコミュニケーションが得られることによって、各人がより社会化、道徳化することによって進化するように見えるのである。それにもかかわらず、犯罪に於けるように、時として出現する非人間的野獣性が押さえられるように努力していくのである。

序章

1 注釈研究と哲学について

2 強い個性と普遍性、個と社会と自然

3 産業革命以後の世界によって後退した神概念の合理的再発掘

4 宗教とは何か？

1 注釈研究と哲学について

ある哲学者（特にヘーゲル）に関する注釈研究は膨大な量に上る。哲学者の一冊の本、一つの概念にまつわるものまである。それらの注釈書を読む者は自分の解釈とつきあわせ、その確認をすることが出来たり、関連する情報を得られたりする。それ自体は悪いことではないが、しばしば細部をつつくこともあり、すでに難しくて素人には近づきがたいイメージがある哲学をなおさら素人を遠ざけてしまう。悪くすると、何か国会の討論のようになってしまう（本質を投げ出したプライドの闘争）。しかし、オリジナルの哲学の本は同じ問題意識を持ったときには、難しい外見をしていようと、直感的に理解出来る部分がある。同じ問題意識を持った時点で、今まで理解出来なかった哲学書が、急に全てが理解出来ることも意外とある。

大学の研究者達の努力は否定はしない。しかし、あまり細部にこだわると、本筋である哲学の本質を見失い、ただ複雑なだけで素人には理解出来ない面白くないものであると思い込んでしまう危険をはらんでいる。もっとも、これはあらゆる分野に言えることではあるが。

これを避けるためには、〝系統立てながらも〟多くの哲学者の思想を見ておく必要がある。こうすることによって、自分の思想が形成され同時にそれが普遍化する。少々逆説的に見えるが、この自分独自の思想の核でもって思想家の考えの核心をずっと容易に捉えられるはずである。自分という生きた核がなければ、あらゆることに言えることであるが、他人を捉えることは難しくなる。特にヘーゲルのような難しい作家を捉えるには、まずは深く共感出来るところを順次見つけていくことである。ヘーゲルの場合、そのような部分や短い文章がいくつかある。それ故に非常に難解ながらも大思想と呼ばれるのであろう。また、彼の講義は彼の本よりもずっと理解しやすい。これがために、これほど難解な思想家がその時代に理解評価されたのであろう。

その同意出来る部分から、より難しいところも自然に順次解けていくはずである。あまり訳の分からないところに多くの時間を使って拘泥しないことである。表現を難渋にするその文章だけでは分からない外的状況があるかもしれないのである。検閲やその時代にたくさんいたライバルとの競い合いなど、現在を生きる我々には知らされてないことも多々ある。この点は、時代考証や手紙、伝記など外的な研究に頼るしかない。この外的資料は非常に良く研究されているが、その時代に実際身を置き感じて見ることが、どんなことであるかは意外に考えられてはいない。共通の普遍的人間性をその基礎的基準に置くことがないからである。違う時代には違う人間がいるという先入観があるからである。先入観を外すということは哲学や文学を読むことに於ける最重要な要素である。書類しか残っていないので、ついそれに拘泥してしまうが、一見客観性を無視するように見えるが、自分自身の直接的感覚を大事にすることである。

　そして、全てを解釈しようとは企てないことも必要である。と言うのは、作品は本質的人間性は同じであっても、個人に於ける事件の連鎖は完全に人まちまちであるから、表現が必ずしもこなれているわけではないので、必ずしも他人には完全には理解がいかないものである。そして、この理解のいかないところほど、自身にとっては、非本質的、表面的なところが多い。したがって、些細なことを気にせずに共感したところを大事にすることが、理解の重要な本道となる。大事なことは必ず共感を醸し出し、そして、共感を得る共通性ほど、より普遍的であると言える。このようにしてさまざまに違った表現から共感によって共通性を引き出すことは、自己のオリジナルな思想を形成することが、逆説的だが、よりしっかりと普遍性に近づくことでもある。ここに合理主義一元論の主張の理由がある。

　たった一つの表現で既に他人の注意を強く引くことがある。それがデカルトの「我思う故に我あり」でありスピノザの「神とは自然である」、ヘーゲルの「現実的なものは理性的であり、理性的なものは現実的である」などである。これだけでも一冊の本以上に重要な思想を形成しているし、かつ非常に多くの人に理解させる力がある。

2 強い個性と普遍性、個と社会と自然

個は多様であって普遍的であるとは思えないのが通常である。しかし、我々が感動するのは強い個性（物事に対する関心度）による作品である。これは、強い個性が掘り出すものは、執着度が強い故に、より普遍的なものであるからである。強い個性は普遍のどこに執着するかである。普遍が〝部分的〟にでも表現されるから個性なのである。人間個人の活動では普遍をすべて均等に表現することは出来ない。だが消極的には、個人の上にも常時普遍が表現されている。これは〝自然〟であり動物や植物がこれに当たる。このような消極的な動植物に比べて、頻繁に言われてきた人間の優位性は単に人間の一方的な視点であるように思われてくる。人間は自然に従わなければ生きていけないのに、自然（動物や植物）より力があるように錯覚をしているのである。

このような個性を持った個人が集積されて社会が構成され、社会総体によって、より完全な普遍が表現される。この社会の航跡が歴史になり、歴史総体として、一時期

の社会総体よりも、より完全に近づいた普遍が（以上に言ったように、逆説的のように見えるが、消極性は自然そのものであり完全である）表現される。普遍（自然）は〝通奏低音〟（意識下の潜在性）のごとく、全ての社会の構成要素に存在している。運動力を必要とする積極性によって普遍性があらわれて〝通奏低音〟となるのだが、この〝通奏低音〟がない限り存在することが出来ない。この表面に出た一時的なものも、実は通奏低音の普遍に属するものではあるが、限りある人間の理解では、それは理解することは、完全には出来ないのが人間の宿命であり、この不完全生を回復しようとするのが〝生〟の動力でもある。

このように〝個性〟は、普遍の部分的表現であるが、この部分的表現も一体系の部分をなしていなければ普遍的ではない。従って、宿命的に不完全ながら一体系をなした個人の個性によって表現される。多数が同時に表現すると、それは個人の体系形成あるいは体系自覚には利点があるものの、おのおのが自分の視点で発言していて、それをいきなり共有することは不可能なので、困難が伴う。その全体の関連性は個人には把握することは出来ない。全体的視点を持つ神のみぞ知る。

各人間は外部の自然と密接に繋がっているので、この密接さを他人に伝わるように上手に表現するのが強い個性による普遍である。その他のあらゆる技術がこの普遍を表現しようとする努力である。

③ 産業革命以後の世界によって後退した神概念の合理的再発掘

現代は自然科学の発達により宗教や神については国家組織（民主主義、司法、刑法、道徳事実のより広汎な拡がり）や文化が発達したため先進国に於いては過去のものになりほとんど語ることはない。しかし過去に於いて「神」概念が指していた「全体概念」そのものは、脇に置かれたままであるが、神が何であったか合理的に再定義しなければ、過去の宗教の不可避的重要性の意味も解らなくなり、哲学、つまり人間に関する思考体系を完結することも出来なくなる概念である。宗教は人間に関する自然的生理みたいなもので、合理的解釈が適用しにくい。「神」概念も、産業革命で弱くなってしまった概念の一つである。この理解がなければ、過去の神話や聖書などもその合理的起源を読み解くことが出来ない。特に近代に注目するのは、神に支配された中世までの社会と産業革命の結節点だからである。自然科学は時に対し常に前進するが、哲学は振り返ることで、かえってより完全に人間性の本質を理解する。自然科学に於ける考えは、過去を顧みられることはほとんどないが、哲学や文学は顧みられることで新たな発見をしている。人間の本質には変化がなく、社会や自然科学の発達によって、かえってその外見と本質が取り違えられて、古くさいものと思われ、その本質的な意味が隠されていくからである。

４　宗教とは何か？

人間は決して孤独ではなく、親から生まれ家族で育つという出生自身がそうであるように、社会（他人）なしで人間は存在しないとするなら、宗教は人間社会が発生すると同時に存在した。人間は他人を必要とする以上、社会は互いに通じ合える出来るだけ広い統一性を要求する。これは、社会の平和と各自の生命維持を不完全といえども意味している。これは、社会構成員の各人が理解するしないにかかわらず（なぜなら、新しい社会に社会を適応させるために、人間は次々と何も学んでいない新しい生命に生まれ変わっていくからである）経験的な必然性として確認している。殺し合いによって、個人の生命や社会全体をも脅かされるのを恐れるからである。そのためには、社会道徳を守る必要があるが、それを直接経験として理解するのに、各人が社会にマイナスの危険な経験をする必要があるが、いちいちそんなことをしていたら各人の生命維持が危うくなる。効率が良くない。そこで、先に経験をした者達が、その必要性を感じた宗教（神）という絶対命令（モーゼの十戒、モーゼがエジプトから引き連れた人々が混乱するのを見て作った者であろう）が必要になってくる。ここに絶対命令を受ける信仰というものが必要となってきたのである。

これに対比して哲学は人間に関わること全てを理解しようとする。実は哲学での理性も、宗教の内容と全く同じものを追求するだが、それを納得ずくで追求する。教育組織がいまだ整はない状況では、信仰はさまざまな儀式や教会のような施設によってその信仰を維持しようとする。現代でも無信仰と言われる人々でも様々な儀式には参加する。それらは人生、生活への信仰といっても良いものかもしれない。少なくとも宗教での信仰の根っこは、こんなところにもあると言えよう。現代に於いては宗教を信仰しているという人達は非常に少なくなったと言えるのであるが（ドイツでは30％がカトリック、30％がプロテスタント、30％が無信仰であるという。）その核となるものは姿を変えて密かに残っているだろうと推測される。「困ったときの神頼み」と言って顔を出したり、追い込まれたり、孤立したとき（山での遭難など）に出てくる。自分の力の及ばない自然に対して祈るのである。〝希望〟という言葉は追い込まれたときにある程度助けになる。

また、宗教は社会の拡大組織化、情報の広まりと負の相関関係にある。情報の整った大都市ほど宗教の役割は小さくなる。また、国家間の情報の行き来は抗争の可能性を外交によって下げる。習慣や国が違っても互いが同じような人間性を持っていることが確認出来るからである。同じような人間性、つまり究極的には相手に自分自身を確認すると言うことであるが、通常自分自身を傷つけようとはしないものであるからだ。結局、〝理解〟というのは、**異なった状況にいる自分自身を見つけることに他ならない。全ての世界が、自分自身になることである**（これが全てを包み込む〝神〟の状態である）。究極的には、個人がこうなることは不可能なことではあるが、常に理解、理性はこの方向に向かって運動している。このことが完全には不可能と言うことで、理性はだめなんだと否定してしまうと、以前の迷妄に逆戻りして、掴み所がなくなってしまい、頼るところが非合理的な信仰に戻ってしまう。信仰は情報の少ないところで、絶対的な神を置いて道徳規則を守らせるのに役立ち、社会の安定をもたらす。しかし、絶対的（ドグマ）なものは適用への柔軟性を失わせ、本来は人間間の平和を求めるべき宗教が宗教戦争を引き起こすことは、我々が頻繁に見てきたことである。宗教は敵対者に対して共感を持つべきだと説教することは出来るものの、それを理性でもって理解するだけの時間的余裕も教育制度も持ってはいない。社会成立当時、絶対に必要であった神への絶対服従、それへの信仰が、社会の一定程度の拡大によって、逆に社会間の抗争の原因となってしまっている。目視したものの真逆になってしまうものも、歴史の動きなのである。常に新たな運動が必要になるように出来ているらしい。ただし、これは宗教のドグマだけの問題ではないことは、周知の事実である。

理性は絶対的統一を目指すものではあるが、その絶対性に到達することはないことを意識しつつ、疑念と確信の間を行きつ戻りつすることで、適応への柔軟性を持つことになる。これは社会的組織が整ってはいなければ、社会体制が不安定になり、出来ないことである。実際に中世に於いては**マイスター・エックハルト**（**1260～1328**）、あの自由なルネッサンスに於いては**ジョルダーノ・ブルーノ**、当時一番自由だった国家オランダに於いてスピノザやウリエル・ダ・コスタなどが焚書、火あぶりの刑、社会追放などの目に遭っている。信仰に代わって理性が社会一般に広がるには、一定の社会的発展が必要になる。

逆に、我々の時代になると神概念は何であったのか？　宗教とは何であるか？　の問いをしなくなってしまう。進展は一つを拾い、一つを落としていくもののようだ。これらの完全に合理的な説明は既にスピノザやストア派によってなされていると考えるが、そこから多くの重大な問題が敷衍出来るはずであるが、いまだなされているとは言えない。つまり、スピノザの考えの理解が行きつ戻りつして、その理解も進歩も、現在に至っても、完全ではないことになる。哲学の真の理解には結構な時間が掛かるが、他のことにかまけていると、またもとへ戻ってしまう。歴史同様、哲学も行きつ戻りつしていると考えるべきであろう。人間自身が直接生きているという事実の上に、さらにその生を考えなければならないという不完全さが運命的である反省行為による矛盾があるからである。

ヘーゲルの絶対知を中心とする一元論もそのようなものとして考えるが、彼のひねくれた難しい言い方は時代の検閲の圧力や仲間との批判合戦によるものかもしれないが、素直さがなく読みにくいのが大いなる欠点であろう。カントはスピノザの確認が遅きに失したのが大いに残念なことである。観念論（カント）と合理主義一元論（スピノザ）が同一の根拠を持っていることが概念的に立証することに至らなかった。それはすでにずっと以前3世紀にはエジプト出身のプロティノス、14世紀にはマイスター・エックハルトによってしばしば言及されてはいたのだが……。

第1章

思想と歴史的背景、ドイツ観念論、啓蒙時代と産業革命

1 哲学とその歴史的背景（宗教改革→啓蒙思想→産業革命）

一定の文化が花咲くには経済的基礎と歴史的背景が必要である。ギリシャ時代、プロティノスを生んだアレクサンドリアの三世紀、四世紀、あらゆる宗教に寛容であったアンダルシアのイスラム支配の時代、ルネッサンス、17世紀オランダ、18世紀のジュネーヴ、18世紀末からナチ出現前までのドイツ等が合理主義的一元論哲学にとって大切な時代であったと考えられる。

分野を変えれば、詩、小説、絵画など、より生活の喜びや悲しみの表現に長けたフランスの一時期、イギリスでの政治組織をはじめとする多分野での開花などがあるであろう。

これとは反対に、ごく一部の例外を除いて一般的に目立った文化を生産しない時期もあった。帝政ロシアに比べたソビエト連邦、いくつかの例外を除いてヨーロッパ中世などがヨーロッパでは上げられるであろう。もっとも後者にはマイモニデス、中世の知識人階級である僧侶のエックハルト、クザーヌス、トマス・アキナス、ボエシウス、聖アンセルムス、ドゥンス・スコトゥスという大きな例外はあるが……。

ところで、産業革命以後、現代に至る時代というのはどんな時代なのであろうか？

果たして文化的に重要な物を残しているのであろうか？　たぶん多くの人達は産業革命には肯定的に答えるかもしれない。確かに経済発展による民主化、それに自然科学が大々的に進んだ時代であることは肯定的に評価出来るであろう。しかし人口急増や急速な社会の拡大によって学問の多岐化、専門化が進んで、知識があふれ、中核が見えにくくなったことに気付かなくなった時代でもあるのではなかろうか？　特に哲学は科学と異なって、その対象がいくら科学は進化しても、本質的には進化することのない人間というものがその対象であるために、かえって外的な目覚ましい進化に目を奪われてしまう産業革命の時代は、哲学的思考をするには難しい時代であると考えても良いのではないだろうか？　産業革命は総体的に、内的にも外的にも巨大な変革であり、普遍的な原則をも覆い隠してしまうようなものであったと考えることも許されるであろう。それ以後の哲学が大いに変質してしまったとしても不思議はない。哲学の問題はすでに何度も何度も言及されているが、何度も覆い隠されてしまう普遍的テーマを深化させる学問だからである。科学が時が進む方向に広がるのに対して、哲学では時間軸に対して縦に深化すると言えよう。当たり前なことは簡単に無視されると同時に、非常に矛盾を含んでいるので、それを客観的に叙述することは観察主体の問題意識の深化が必要となってくる。

産業革命は、ヨーロッパを始めとした国々が広く深く関わった変化だけに、哲学も科学同様、当然その変化に追いつくために関わるのだが、その本来の中心を不問にして、現実対応に専念しているのが事実のように考えられる。中心が軽く扱われている一方、表面的現象が華々しく見える。科学に於いても何に役立つのかは直ぐには見えない基本的研究が実は大きな影響を持っている。本来の古典的哲学が時代に合わないように見えるが、中核の見えない現代の哲学は、返って理解に困難を覚えるはずである。今まで取り上げられなかった問題を取り上げたという意味では正当であるものの、中核問題に反発することは間違っていると言える。

したがって、産業革命に影響された哲学は、その影響された部分を取り除いていかなければならないであろう。そして、残ったものがあれば、それが本来の哲学である。あらゆる哲学は、人間の思考である以上、一つの哲学に関連付けられるとは言えよう。しかし、人間思考の中心部である概念、体系をその中心に置くものとそうでないものがある。その中心概念には変化があるわけがない。この基準で哲学者達を見ていくと、ある種の哲学者達が残ってくるし、特に近代以降では両面を持った哲学者の二面性を見分けることが出来るであろう。

まず、産業革命に先んじてルソー、カントなどの啓蒙思想、啓蒙専制君主の啓蒙時代が先行している。さまざまな改革を経て、そして、その改革の故に農奴解放、大都市の形成等によって産業革命、科学革命の基礎を作る。宗教改革、啓蒙時代、産業革命と自由化、社会の拡大、自然科学の進展への必然の連鎖をなしている。また、啓蒙思想に先んじたルターの宗教改革は30年戦争を引き起こし大混乱の末、農奴解放へ繋がっていき、これが啓蒙思想、産業革命へと繋がっていくが、ユグノーの新教派をドイツ、オランダへ追放してカトリック国に留まったフランスとは、農業立国と（手）工業でやっていかなければならなかったドイツという経済構造の差はあり、文化的には大きな違いを見せている。観念論に見られる哲学での合理主義はドイツ独特なものであり、これが19世紀後半から20世紀初頭のアインシュタインやニールス・ボーアなどの自然科学の発展に繋がった。一方、フランスはカトリック国家として一まとまりであったせいか、シャルダン、ブロンデル、マリタン等の宗教的哲学者が多く、ベルグソン、サルトルと反合理主義的哲学が主流となっている。合理主義哲学に近いルソー（カルヴァンと共に）はプロテスタントの都市ジュネーヴに住んだフランス人であり、ヘーゲルが研究され始めたのが第二次世界大戦の後、プロテスタントのヘーゲルを無神論と捉えたのはカトリックの国フランスならではの話である。ドイツ哲学のフランスでの導入が、第二次世界大戦以後であったのは大学の講義で思想家が有名になったドイツとは異なり、読むのに相当厄介な本で間接的に知られるだけであったとも考えられる。フランスの文化は、よりシンプルな食文化、詩、小説、絵画など、より直裁で農業国の生活感情に近い。

ところで産業革命は急速な社会拡大と人口急増を伴うので、それを経済的にまかなうことが、社会の拡大にはなかなか追いつかないために、経済的苦しみを味わう人々の層（いわゆるプロレタリアート）が増大する。内的には実存的苦悩が一般化し、外的にはこれを政治的に早急に解決しようとする動きも出てくる。この後者の典型例であり大々的であったのがマルクス主義であったと言えるであろう。ある意味では知識人という社会的余裕のある人達が出てきたということでもあろう。

ギリシャ時代以来ヘーゲルまで来た古典的な合理主義的一元論哲学の流れがほとんど背景に追いやられてしまったように見える。産業革命以後の両大戦間を生きたフッサールは〝**間主観性**〟や〝**原自我**〟が哲学の問題の基礎にあることに気が付きながらも、哲学には、そのままの形で接続することの出来ない自然科学的客観性を基準に見ることにこだわってしまったので、一つの体系としての哲学理論としてまとめることが出来ないジレンマに陥ってしまったように見える。ヴィットゲンシュタイン（自我と世界が分裂した）もこれと同様な二面性を持ち、イギリス論理実証主義は科学的客観性にこだわったために、外から厳密だが単純な尺度を与える論理学的な追求とは全く異なる人間そのものを扱う哲学問題自身から遠ざかってしまったように見える。これは、ちょうど、それまでの唯物論が人間の感情や自由の問題を扱うことが出来ずに、哲学を干からびたもののようにしてしまったように。これに対して歴史的に見ていくと、ギリシャ時代以来ある一定の時期（スピノザ、ヘーゲルの近代）まで合理主義一元論哲学として共通性が見えてくると同時に、それ以後の時代との対比が見えてくるように思われる。

また、ドイツ観念論哲学の歴史的背景である啓蒙時代と、それに伴って特にドイツの特徴である、それまで無神論的な危険思想として顧みられなかったスピノザ思想に共鳴したレッシングをきっかけとしたドイツへの星火燎原のような導入が、ドイツの哲学、文学の興隆をもたらした。他方の先進国であるフランスやイギリスでは、ドイツのようなスピノザの大々的導入は起こらなかった。この事実は三国間の文化の大きな違いをもたらした。カントとスピノザはドイツ啓蒙時代にとって最重要の哲学者であり、それはフィヒテ、ヘーゲル、フォイエルバッハを経てマルクス、アインシュタインに至るドイツ思想を形成したと言えるし、文学に於いてもレッシング、ゲーテ、ヘルダー、ノヴァーリス、シュレーゲル、ハイネ、そしてシェリング、ショウペンハウアー、シュライエルマッハー、マルクス、ニーチェと一見その継承者とも見られないような人達にまでその影響は広がりドイツ文化を総なめしたと言える。

啓蒙思想はフランスではかの有名なフランス革命をもたらしたが、ドイツでは農奴解放、土地改革、シュタイン、ハルデンベルクなどのさまざまな社会改革などが人口急増、従ってアメリカへの移民急増と都市への人口の流入をもたらすわけだが、この過程が個人意識の覚醒をもたらし、主観にその出発点を持つ観念論と関連がありそうに見える。後の実存主義、あるいはアインシュタインの相対性理論も、個人意識の覚醒である主観の視点と大いに関係があるように見える。中世のように宗教の力が強く、階級社会にその変化が少なければ、個人単位で物事を考えることはあまり意味を持ってこなかったことであろう。

ドイツの啓蒙思想の典型はヴォルフやカントによって始まるとされる。「**純粋理性批判**」は厳格な自然科学的様相を持ってはいるが、「**主観**」**が哲学の絶対不可避の問題であり客観性の根拠である**ことを主張している。ジュネーヴ、そしてフランスの啓蒙思想家であるルソーは常に個人的問題、自分自身の問題から出発している。この出発点で**個人的主観が普遍的主観を見いだし、後に見るようにこの普遍的主観の概念が特に「社会」、「国家」、「神」の3概念を捉えていく**のである。その意味で出発点となる特殊個人の概念は大切である。

国の生産力と戦争に打ち勝つための人間の動員力と組織力を改善するための政治的必要性（もちろんそこには、より個人を見つめるようになったためにヒューマニズムも存在したであろう）から始まった啓蒙時代のさまざまな改革によって、今までになかったようなより多くの人間に自由を与え、これが自然科学と産業革命の急速な進展をもたらした。自分で考えられる人間達の人口が急増したと言える。また、これは急速な人口の増加と都市への人口流入、海外への人口移動と進出をもたらし各国間の覇権争い、ひいては二つの世界大戦をもたらした。この時点で大きな拡大の余地は全て埋められることになり、国際連合（これはカントの構想でもある）による調整の時代に入って現在に至っている。その間、資本主義もその自由市場経済の行きすぎによって、貧富の差の拡大という大きな欠陥を露呈して、経済危機をもたらしている。

科学者がスピノザやカントに共鳴することがあっても、ヘーゲルを読んだという話はあまり聞いたことがない。ドイツ観念論者の文章の難しさや、その難しい本でしか彼らを知り得なかったこともあったのではなかろうか？　哲学が科学とは全く異なるものであると見られていたのであろうか？　スピノザやカントは、哲学者にしては自然科学的な書き方をされているので、科学者達も他の哲学者に比べて取っつきやすかったであろう、と推測は出来る。確かにこの両者に影響を受けたアインシュタインは、意識していたか否かは知ることが出来ないが、スピノザの合理主義的一元論、カントの観念論に呼応しているとも考えられる〝相対性理論〟を体系化している。もし、これを意識していたならば、アインシュタインもこのことを明確に言及していたであろう。あるいは哲学の読書会（オリンピア）が若いときの遠い思い出で無意識になってしまったのか？　しかし、哲学と自然科学には、観察対象が内と外との違いが、外見的断絶として在るだけで、理性の合理主義としては連続している。同じ人間理性の作業ならば人間の頭の中では繋がっているはずである。その証拠に今度は理論物理学の成果である「相対性理論」や「量子力学」は哲学者達の大いなる興味を引いている。哲学の結果との一致が見られるからである。

(a)　英国覇権主義と哲学

最後に産業革命が哲学に及ぼした影響に似た、あるいは同一の影響をもたらしたものに、覇権国家と哲学の関係があるのではなかろうか？　大航海時代のスペイン、それに続くイギリス、そして第二次世界大戦からのアメリカが思い至る。この中で影響力のある思想家を輩出した国としてイギリスがあがるのではある。ホッブス（1588〜1679）、バークレー（1685〜1753）、ロック（1632〜1704）、ヒューム（1711〜1776）である。イギリスがオランダから海上覇権を奪い始めるのが17世紀末からで、ワットの蒸気機関の発明（1767年）、カートライトの自動織機（1784年）、アダム・スミスの国富論（1776年）と本格的に産業革命が始まったのが、この時期に当たり、また哲学者を輩出した時期が、この正に前段階にあたっている。シェークスピアー（1564〜1616）もこの前段階にあたる。最後にダーウィン（1809〜1882）の「種の起源」が1859年に出版されるが、これが、この本のタイトルにはない「進化論」と呼ばれるようになったのは、実に象徴的である。科学の急速な発達によって、何か人間の優位性を誇るような一面的な言い方である。

　自然科学の発展が社会の民主化、つまりより多くの人達が、社会の発展に伴うさまざまな軋轢、問題にもかかわらず、より多くの人達の経済的余裕に少しずつ貢献していったことで、この状況が「進化」と考えられ、しかしながら、これは過渡的な見方であると考えられる。この膨張（進化）が現在何をもたらすかは、地球温暖化や食糧不足など現在我々が経験しつつある。

(b) 統一普遍としての（合理主義）哲学

これは今まで叙述してきた産業革命以外に、観念論のような合理主義哲学に関する重要概念の確立に専念し、合理主義哲学を形成するその他の重要概念をまとめて指摘することがなかった故に（これも当然の成り行きではあるのだが）、合理主義哲学が背景に退いてしまった大きな理由があることになる。そこで哲学史を鳥瞰して各哲学者の共通点を指摘することにより、本来の哲学の中枢をなす合理主義の重要概念が浮き上がってくるわけであり、以前には扱われなかったテーマの哲学が産業革命以後広がったとの理由が見えてくるように思われる。これによって現代の哲学が袋小路に入っていること証明し、その打開策の方向が自然に出てくるように思われる。古典的哲学者達の共通点を一旦抽象的な概念で再消化することで、見直すことが重要となってくる。哲学を個々バラバラの個人の思想と見なさないことが重要である。哲学の対象である普遍的人間性も共通ならば、哲学を思考する人間性も共通なはずであるからである。ここに自然科学と同様に普遍学としての哲学が成立する。これが合理主義一元論哲学である。哲学は単なるエッセーに留まる必要はないし、そうあってはならない。各哲学者の個性の問題も哲学の共通性を定義して初めて明確に定義出来るものであるように思われる。

哲学と自然科学、哲学と現実政治、哲学と文学をそれらの根本的性格の違いを明確に峻別するべきで、それぞれには明確な基本的原則がある。哲学と自然科学は主観を恒常的な起点にし、主観をその対象にするか否かがその区別点であり、哲学と政治は現実に関わるか一定の距離を置くかが（政治の現在に関わることと、哲学の過去を振り返って思考することとの差）その峻別点であり、哲学と文学は、文学が、共通の人間の視点か逆に個人の特殊的視点を強調することで普遍的視点をあぶり出すと言う点でその違いがある。

「対象的世界を考える」（自然科学者）、**「一歩引いて自己自身、人間を考える」**（哲学者）、**「思ったことに従い果敢に行動する（未来に投棄する）」**（政治家）等の初期的態度の違いによる専門化は専門分野を作り上げるが、初期的態度が違うと言うことは本質的にこれらの分野が量子力学的飛躍のような連続しながらも、乗り越えられない壁によって隔てられていることを示している。この違いを頭に入れておくことが、一つの分野での解決のつかない分散を導き入れないようにすることが出来る。

2 哲学には共通の統一的原則がある（合理主義〔観念論的〕一元論）

哲学も喧喧がくがくの議論百出で、おのおのの哲学者が他には相容れない持論を展開しているように見えるが、実は自然科学と同様に客観的統一体系を持っていると主張する。「**哲学者は全員が異なったことを言っているように見えて実は同じことを言っている。」とルネッサンスの哲学者ピコ・デッラ・ミランドラは言っていたが、**これが事実であることを見てみよう。

この本質的な人間性を見抜き、客観化、普遍化していくのが哲学である。したがって、哲学、そして政治も決して違いを主張し続けるのではなく、その統一性を見るのがその任務である。政治に於ける意見、行動の違いがあっても、その行動が過去という形で定着した「**歴史**」という、一つの行動しか選ばれない場面によって成立している。選ばれた行動が、その時の客観性なのである。その時、選ばれた歴史が苦痛をもたらす悲劇的なものであれば、次の場面でそれを修正するように「**歴史**」が動く。**人間の客観的歴史（と言っても歴史には客観的な事態が歴史として固定化されるのだが）の中にも「悪」が含まれている**が、これはその生存を第一条件とする人間自身にとって悪ではあるが、自然全体にとってはそうではない。これは全て自然から成立している弱肉強食の動物の行動を観察することで、理解が出来るであろう。人間にとっては悪と思える行為も自然の摂理でそうなっていて、人間が意図的に介入しても（実はそんなことは出来ない）事態は悪化するばかりである。

哲学の統一性、あるいは一元性を見るには主にいくつかの原則を挙げることが出来よう。

(a) 第一原則：自然科学との峻別

一番目は同じ理性の活動、つまり合理主義である自然科学と哲学の峻別で、共通の基礎に発しながら二つの学門には乗り越えられない区別があること。自然科学は主観の中にありながらその外に設定した対象の学問であり、哲学は主観が基礎でありそれを対象にした学問である。つまり観念論と言われるものである。

こう言うと、哲学は合理主義ではないと言うかもしれないが、全くそうではなく、外見に反して自然科学同様な厳格な原則がある。ただ、それが推測はされるのではあるが、それに完全に到達出来ないのが、人間の行動と歴史一般である。また、これは自分が自分自身を見なければならない、という当初から構造的に不可能性（時間的遅れ、その他）を含んでいる不可避的な原罪と言えよう。

そして、哲学の客観性が主観の内にあることを証明するのである。ドイツ観念論で証明されたものが、これに当たるが、**プラトンの**「**自分自身を知れ**」、**デカルトの**「**考える故に我あり**」なども考えてみると同じ内容であることが解る。また、ドイツ観念論以前に合理主義哲学にとって一番重要な問題である一元論と観念論を同時にかなり深く体系的に語っている哲学者にプロティノスとマイスター・エックハルトがいる。そして、ライプニッツには短いが明確な**観念論**（その発言は「対話」、事物と言葉の結合、「観念とは何か？」など小品に多い）と彼の〝**モナドロジー**〟があるが、これらから、また主観性の客観化にとって重要な役割を果たす〝**間主観性**〟（**モナド**間の関係がこれである）の結論も引き出すことが出来る。また、その後ではフォイエルバッハが神概念を人間に引き下ろしたが、彼が唯物論と言われながら、人間にあらゆる原点を持っていくことで、観念論的要素も持ち合わせている。フォイエルバッハの考えは究極の観念論であると言える。つまり、このように哲学史を通してみていくと、**観念論は一元論と共に哲学の避けることの出来ない基礎的概念であることが分かるであろうか。**

また、観念論的主張が全くないように見えるスピノザの場合でも、その「**共通概念**」(**エチカ第二部定理38、39、40**)という物事の真理か否かの判断の基準となる概念は人間の共通感覚である身体に存在し、つまり人間という「**主観性**」に存在し、これは観念論の主張と矛盾しないものである。スピノザの一見唯物論に見える主張の中にも、よく見ると観念論の概念も存在している。ここに一見すると矛盾するようにも見える唯物論と観念論を繋ぐ道も見えてくるのである。**スピノザの「共通感覚」(sensus communis)とカントの「統覚」**(ライプニッツ)の共通性が見えてもくるのである。

ここで何度も言うが、哲学者達は全く同じ人間の中にある要素を対象にしていながら、哲学に対する個人的な経験の差によるアプローチがさまざまであるために、おのおの哲学者が、おのおのの立場から、見る側面が異なっただけで、異なった用語や説明方法を用いてはいるものの、全く同じ対象を扱っているはずであり、そうでなければならない。先ず各哲学者が主張していることを出来るだけ正確に解釈することは重要ではあるが(と言っても、人間が違えば究極的にはこれは不可能なことである)、言葉の細部に捉えられれば、用語自体以外にその内容や対象が違うことを言っていることになってしまう。字義的解釈が対象を失うと、これは哲学ではなく、単なる個人的感情的論争陥ってしまう。これを避けるためには、逆説的なようであるが、常に一番密接で確実な現実である〝自己〟の考えに結びつけることが必要である。なぜなら、観念論的に言っても、自己の一番確実な現実を差し置いて、普遍化の基礎はないからである。各哲学者の違いは、突き詰めれば、単に説明している哲学者が物理的環境が異なるだけの話なのである。ある哲学者は、ここの部分がよく説明されていて、他の哲学者は他の部分と、これを対象自体の相違と見てしまうと、全てが混乱し、対象自体を見ることが出来なくなってしまうのである。この時に重要な視点となるのが、自己自身の考えである。特に哲学者の思考は個人の中で沈思黙考されて組み立てられているので、個人的色彩が前面に出ている。これは芸術と全く同じである。芸術の場合は、極力個人的なものを通して普遍を見るのであるが、哲学の場合は、個人的なものを普遍的なものに還元しなければ理解には達しない。とは言っても、哲学は芸術と同様な立場にあるように見える。芸術の場合では、このような作業は物事を平板化してしまうことになるのではあるが、芸術の表現方法は極力個人的なものではあるにもかかわらず、その伝えられる対象は極力普遍的なものである。この意味で芸術家に対する好き嫌いははっきりとあるが、好かれた芸術家からの、個人的に伝えられるメッセージは普遍的なものである。この意味では、哲学は芸術と自然科学の中間に位置しているとも言えるかもしれない。

以上のような普遍的主観は個別主観の共通性であるため、見た目に全く反して、厳密で明確な外見を持っている。とは言っても、自然科学のように主観性を不問に付しては、哲学では物事を規定することは出来ない。常に特殊個別主観の同意が必要であり、矛盾するように見えるが、自分自身が係わらないものには同意することは出来ない。ここに「**厳密な学としての哲学**」のように自然科学的な外からの規定ではなく、内側からの規定が必要になってくる。ここに**フッサール**のやり方が行き詰まった理由がある（彼には晩年自分のやり方が間違っていたことを悔いている発言があるということである）。まさにカントの観念論と自然科学の発達の狭間の哲学者であると言えよう。

また、主観という意味では、人間は動物の行動を人間の行動に当てはめて解釈していく、矛盾を観察されない限り正しいとされていく。この面でも動物行動学の解釈は、全面人間の主観性で構成されていると言える。それでいて動物の現実には矛盾しない。つまり観念論である。またこれが正当化されるのは、人間も自然の一部であることからであると言える。これが人間の考えの押しつけと言われる時は、その人間の動物に対する解釈が不十分である時である。

α：Ding an sich（物そのもの、我々の主観から独立した客観的世界）と自然科学に対する哲学の優位性

カントの批判した〝物そのもの〟（Ding an sich）は、主体の状況によって進化していくことになり、人間の外に超越的、絶対的に存在している物そのものをつかむことが出来ないことになる。カントの主張が証明されるわけである。

自然科学の結果は、直接的には非常な有用性を持っている。それに対して哲学は抽象的であり、一見しては、一体何に役立っているかは直接に理解することは困難な場合が多い。それにもかかわらず、主観が全ての考えの基礎にあることは、哲学の絶対優位性を奇妙なことに示している。これは、実験科学に対して個々バラバラの現象をまとめて見せる理論物理学の絶対的優位性を見ると、推測の付くことかもしれない。

そして、理論物理学者には哲学的造詣を持った人達が大半であることも、偶然ではないのであろう。ちなみに、アインシュタインは当初哲学者になりたかったのを生計を成り立たせることが出来ないとして、家族に反対されて理論物理学者になったとの

ことである。

(b) 第二原則：政治（行動）からの峻別

二番目には、合理主義哲学は自然科学と同様、他の社会的政治的意図（例えば、マルクス主義のような）なりをその出発点に於いて持ってはならない。政治的意図と合理主義は全く別のものである。哲学に於ける〝観察〟と政治に於ける〝行動〟は物理行動的に異なるからである。これはマルクス主義、サルトルと特に戦後のフランス思想、ポスト・モダンに言えることであろう。

ヘーゲルの「現実的であることは理性的である」というのは、合理主義哲学の大原則である。これを体制派と呼ぶのは、産業革命と二つの世界大戦を経た社会的な苦しみの訴えであるので、理解出来るのではあるが、この保守派であるとの批判を合理主義哲学と混同してはならない。理解第一の哲学と、行動第一の政治の違いであると言えるかもしれない。ヘーゲルが事実上進歩派であったのに、保守体制派であるとの解釈が出た理由でもある（ルードルフ・ハイムやヴィルヘルム・リープクネヒトの解釈であるが、意外にも、そして興味深いことにマルクス、エンゲルスはこれを手紙で一蹴している：エリック・ヴェイユ「ヘーゲルと国家」の冒頭の注にはドイツ語原文の手紙の引用もある）。哲学は自然科学と全く同様に、たとえ一時的、軽々に道徳的非難されようとも、客観的事実を明確にすることが結局道徳的なことであって、必ずしもその時代の政治的状況に参加するのとは異なる（ただし、自分の行動の不完全性を意識しているならば別であるが）。行動の評価は一応終結してみないと解らないことが多い。なぜなら客観的事実が道徳を形成するのであるから。夜になって初めて飛翔する（物事が全て終わって材料が揃ってから）知恵のミネルヴァのフクロウは非常に意味深長なのである。行動に係わった時点から政治になり、後に哲学的、歴史的判断が下される。行動と観察は二つの異なる次元であって、これらを混同すると哲学は体系が完結しなくなるし、政治的行動は固定観念の押しつけとなり、政治場面への柔軟な対応が出来なくなる。マルクス主義の評価がその時代によって大いに異なることもこのことの証明になる。

ヘーゲルの「歴史哲学」の序文を除く本文や「法哲学」の一部には遠い土地（日本など）に関する情報不足があったり（一方、スピノザには東インド会社からの直接の情報もあり「キリスト教の影響がなくても日本の社会〔江戸時代〕は安定している」との発言がある。こちらの方が客観的である。）、ヘーゲルの時代の特殊事情に関する発言など（立憲君主制の称揚など）その混乱を経た時代のそれなりの理由はあるものの今日の視点から見ると時代遅れに見えるものが多々あるが（この後者に関してはいきなり我々の現代の偏見を適用せずに、それなりの解釈の仕方はあるであろうとは思われるが……）、抽象的な分析（例えば、「歴史哲学」の序文、「精神現象学」その他）に関しては時代の発言ではない普遍的哲学内容を持っており、ヘーゲルはそのような分析が豊富な哲学者であるからこそ古典哲学者として残っていると言える。彼の影響は大きいだけに誤解の余地も大きい。マルクスの「哲学者達は考えてばかりいて行動しない。」との言葉をもう一度考えてみる必要がある。これは時代の要請を受けた〝緊急な〟提言であり、それだけに哲学の静止的視点からは無理な結末を含むようになる。その結果がソ連のレーニン、スターリンの出現による反対派の大量粛正である。

以上のことは、哲学者や政治以外の専門家が政治に関わってはならないという意味ではない。政治には全員に関係があり、各自の立場から発言する必要がある。自分の立場を一般化出来れば、その中から優秀な政治家が出ても不思議はない。ただ、行動と哲学的な結果とは時間的な組成が異なっており、これを一緒にすることは出来ないということである。

(c) 第三原則：二元論からの峻別

三番目は、二元論の位置づけである。これはデカルトに関するものである。デカルトは合理主義の外に神を置いた（理論的にそうしたというよりも、時代的圧力によって、そう言わざるを得なかったのかもしれない。その可能性の方が大きいであろう）。原則的には、理性の外に絶対的なものを置くと、理性そのものが無意味となってしまうからである。神の概念に関しては、すでにスピノザ（あるいはストア）が明確な形で合理主義で解いている。これは恐らく決定的な結論であろうと思われるが、いまだ狭い哲学の領域での証明であって、自然科学に於ける同じように概念的である〝相対性理論〟に比べてもいまだ世間的な周知、了解を得られているとは言い難い。ここに哲学上の発言と自然科学上の発言の違いがある。哲学ではその思想家の意見と捉えられ、これ以上の真実を他の哲学者もはっきりと言っていない場合、その真実とされる発言をもう一度追体験する必要があるとされてしまうことである。この個人的追体験が、人により時代により、何度も何度も繰り返されるわけであり、自然科学のように先へ進むことがなく、方向が深化の方向で180度異なると言える。

道徳義務の法は、理性から導き出される中核概念である。体系の全体を包摂する神の原理は自然の法則全体であり、一元論に他ならず、それは決定論であるが、その自然の原理は直接生きることは出来ても、リフレクション－反省という折り返しによる時間ロスによって、理性で包括的に把握することは永遠に掴めそうで掴みきれない構造に、その成立の起源から決められている。しかしながら、理性は欠けた部分を埋めようとして、こうすることは人間活動の原理であり、社会を形成する原理でもある。人間は動物のように無意識で自然のままに生きる限り完全ではあるのであるが、人間は自然の一部でありながら、意識を持ち社会を形成し理性を持つ限り、この原罪を修復するように〝活動〟するよう運命付けられている。動物に対して人間は理性の動物であることに優越感を持つが、本当は逆である原罪を背負っている。意識、社会、人間の生とは原罪そのものである。これが悪いと言っているわけではなく、これ以外に解決方法がないということである。だから〝原罪〟と呼ばれるのである。

(d) 第四原則：普遍的思想と個人的成長過程に於ける考え方との峻別

四番目は、成長期の思想と成熟期の思想の峻別しておくことである。これは特にルソーに言えることである。一般的には成熟期の方が合理主義的であると言える（シェリングの場合は逆のようであるが、この場合時代の急速な進化と、自身が持っていた生来のものが再浮上したと考えられる）。また、この見方は他のジャンルとも、根本的な区別をすることが出来る。詩は秀でて若いときの情念と関連が深い。つまり、成長期と苦悩の時代と関連が深い。また、ニーチェ、キエルケゴールの思想は哲学的な形態は取ってはいるものの、人生の苦しみの訴えであり、合理主義哲学とは異なるものである。病気（ニーチェの先天性梅毒）や個人的な外的欠点（キエルケゴール）が突き起こす苦しみや悩みが、急激な産業革命が突き起こした貧困や労働に苦しむ人達の共感を呼んだと考えることが出来る。あるいはサルトルの反抗心が若い世代に与えた影響。もちろん彼らにも深い達観した箴言はあるし、それがゆえに歴史的に残ったのであろう。このような実存主義を含め、あらゆるものが哲学として最終的には包括出来るものではあるが、直接に合理主義的な一体系を彼らから引き出すことは難しい。

以上の要素を考慮し、新たに社会的状況から加わった要素を一旦横に置くことによって、合理主義哲学の一元性が見え安くなってくるものと思われる。哲学に於ける合理主義一元論というのは、自然科学に比べると、よりぼんやりとしたように見えるが、一つにまとまった地平が見えてくるということである。哲学者はそれぞれの個性によって、さまざまな言い方をしているが、同じ対象を扱っているはずなのである。このような主張をしたルネッサンスの哲学者ピコ・デッラ・ミランドラは正しいことを言っているように思われる（ヘーゲルのイエナ期の「差違」論文にはこの点に関しより詳細に語られている）。各々の哲学者を精確に解釈するのはよいが、余り枝葉末節に捕らわれても意味がない。人間であることを抜け出ることの出来ない哲学者自身も右往左往しながら対象に迫ろうとしているのだからだ。

啓蒙時代と観念論、産業革命と実存主義、マルクス主義の二つのペアーがカップリングされる。また観念論がカントによって体系化されるまで、哲学が始められて以来引き継がれてきた思想体系に、スピノザと新プラトン派、ストア派に代表される一元論があるが、これがまた産業革命以後に背景に退き、どちらかというとそれ自体は悪い意図ではない政治的意図から、特に現代に至っては、つまり少数派の主張をくみ取り、それを政治的に救おうという意図から、現代では多様性、多元論の方が称揚されている。そして、それが不可能ではない余裕の出来た時代ではある。このような過程で、観念論と共に、もう一つの合理主義哲学（これは現実主義でもあるが）の柱である一元論も体制側の論理、抑圧する側の論理と考えられて現代では姿を隠しているわけである。なぜならそれは社会を形成する原理であり言語を統一しコミュニケーションを可能にする原理だからで、それが一時、統制的と見られる必要が出てきたからである。

もう一つ産業革命以後出現した、その典型思想でもあるように見える思想に**ダーウィンの「進化論」**がある（しかし、これもまたその進化的系統図によって一元論的にまとめようとした意志でもあるとも言える。さまざまな生物の適応を一つの系統図にまとめたものであって、本来は〝進化〟と呼ぶというよりは一元論と呼ぶべきものではないのであろう。問題はこの〝進化論〟の名前を与えたその時の社会の状況なのであろう）。これも進化とは縁遠い哲学、文学、芸術にとっては対極をなす理論と言えよう。従って、合理主義一元論、観念論が背景に退いた歴史的背景はあったと考えると、ギリシャ時代からドイツ観念論に至る思想が、一つの合理主義哲学として考える基礎が出来るように思われる。

例えば、西田幾多郎の思想は西洋思想と接触があり彼独自の考え方はしているものの、ヘーゲルなどの思想と平行関係に置いて読み替えも出来るように思われる。ヘーゲルも西田幾多郎も異なったアプローチながらも普遍的思想の枠組みを描き出しているので、古典的作品としていつまでも読まれる価値があると考えることが出来る。アプローチの仕方や言い方が異なっても同じ内容を言っている時はあるのである。外見に引っかかると、いつまでも解決のつかない陥穽に陥る。また、なぜこのようなことが正当化されるかと言えば、人間は同じ事象に対して個人の経験や立場によって異なった言い方をするが通常であり、最初から皆が完全に客観的に事象を描くことが出来るとするならば、誰もその事象に対して努力や働きかけをすることはしなくなるであろう。そもそも哲学が必要なくなってくる。異なった言い方をしていても、実は同じ事象を扱っていることは、非常に多いと考えざるを得ない。人間を存在させている普遍的構造を考えると当然の結果であると言える。ライプニッツに言わせれば、「同じ建物を異なった場所から見ている」のである。同様なあるいは異なった意見は、近親感あるいは距離感を感じることで、お互いの社会関係が構成されていくのである。人間の避けられない異なった見解は社会構成と個人の活動力を表しているのである。それらを全体的に見た時に、客観性と事象の統一性が見えてくるのである。一見しては、この統一性がないように見える哲学も、本来はこのように客観的であり自然科学のように統一性があるのである。おのおのの人間の考えること自身には、全て根拠があるが、根拠があるということは、この統一的かつ客観的な地盤に則ってはいるのである。ただし、各人はおのおのの状況を現在進行形で生きているだけに、皆を説得出来るような統一的描写をすることが至難の業なのである。しかし、出来る限り客観的な描写の方が、説得力も、多くの人が賛同出来る感動力も持つであろう。つまり、この共通の地平に至り着けないことが、多様な意見を生むのである。しかしながら、もしこのような哲学においても客観的統一性を想定すると、まずはいくつかの哲学の近親性が見えてくるはずである。少しずつ各哲学者の近親性を指摘することで、いくつかの核になる哲学者達がまとまり、いくつかの哲学者がまとまることによって、今度はいくつかの合理主義的一元論と呼ぶ哲学全体を包み込む大きな原則が見えてくるはずである。

また、哲学が目立って生産された時代を順次見ていくことで、時代を隔てた哲学者達の連関が、その大半に於いては、お互いの影響関係があるのだが、たとえそれがなくとも見えてくるように思える。影響関係がなくて、その共通性があるとしたら、逆に哲学の客観的統一基盤のより強い証明にもなる。そして、私の主張する〝**合理主義的**（**観念論的**）**一元論哲学**〟（**普遍自我**）の外せない大原則が存在し、そこに関係づけることによってあらゆる現実的現象が説明され、そこに関係づけなければ説明が完全にならないというような大原則があることが主張されていく。つまり、哲学は言語や理性や自然科学の体系、または実現してしまった過去の歴史的事実が一つであるごとく一つである。

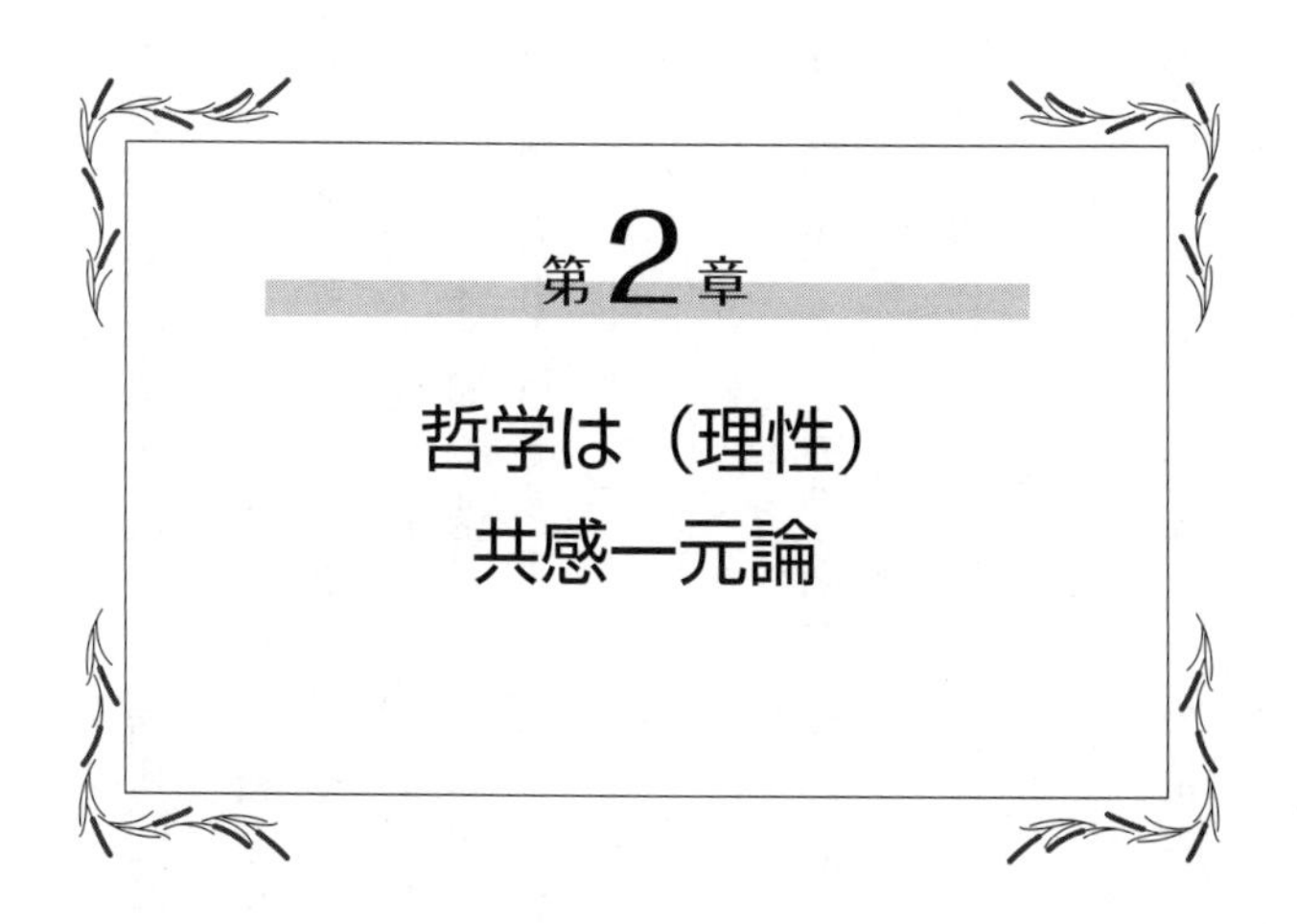

第2章

哲学は（理性）共感一元論

1 自然科学と哲学の違い（主観排除的客観と客観的主観）

人間の自由の問題、感情の問題は、**概念化することは出来るが、数量化するにはあまりにも多くのファクターに結びついており、逆に影響ファクターを最大限に絞る二項対立的（あるいは数量的な）な自然科学的思考では扱うことが出来ない。**古くから科学では「**三体問題**」（**通常は二つの要素を思考の対象にするのであるが、そこに三つ目の要素を引き込もうとするやり方**）は過度に複雑になりすぎて、解けない問題とされている。したがって、このやり方では、生態の問題には一定の答えが出るように把握することは不可能である。

注 **数字1、2、3の抽象的な意味は質的に全く異なる概念である**

数字というものはおのおの数という意味では全てが同じ意味でありかつ意味がない。それを抽象的に見ると、1は一元論であり、一神教であり、個であり無意識である。2は対話であり、二元論であり、科学の因果関係であり、意識である。3は弁証法では二元論のまとめであり、多元的関係である。それ以上の数字は、その意味をしだいに薄めていく。それを考えると、かけ声に1、2、3と言うのは面白い。これは、本能的理解と考えることも出来る。物事は思考より本能が先行しているので。スピノザの言う〝コナトゥス〟というのは人間の自然な欲求で、悪の源泉にもなるのだが、次の段階である社会道徳の必要な条件なのであり、それは禁欲を推奨はしていない。

また、ゼロの概念はインド（あるいは中国）で発明された数字をコンパクトに表現する便宜的な方法であって、ゼロが示すようにそれは〝無〟である。

物事の外側から観察することと、生きられた生命の内側から観察するのとは根本的な立場の違いがあり、その取り扱う対象の複雑さの度合いには乗り越えられないものがある。ちょうどこれは化学的構成によっては生命のごく初歩的な物質（アミノ酸）までしか作り得ないのと同じである。同じ理性でも自然科学に於ける使い方と（合理主義）哲学に於ける使い方は一線を画している。お互いの境界線を乗り越えて他の領域で、直接に同じやり方の理性の使用法をすることは出来ない。自然科学に哲学的手法を持ち込めば、いい加減で何も決定出来ないだろうし、哲学に数学的手法を持ち込めば、上記のように生命現象を扱うことが出来ない。この意味で哲学の領域で、同じ合理性の立場に立っていても唯物論を持ち込むことは出来ないことになる。とは言っても、哲学は誰にでも分かる説明をその基礎に於いているので、非合理主義では全くない。全く同じ理性が全く異なったストラテジーをもって自然科学と哲学に適用されていく。そして、両領域とも言語、理性によって説明される以上、統一的客観性が厳然とあるのだが、主観的に生きる哲学に於いては社会に於ける各個人的主観のさまざまに異なった係わりがあるために、徐々にしか確認することしか出来ない。人間の総体が関わっていく歴史的事実は、実は日々客観的に決定されていくのだが、これも個人主観の社会的かかわりがあるために、時が経過してから多くの似た事象が集められる中でしか、実にゆっくりと、あるいは完全には生きている個人には理解することが出来ない。なぜなら人間は生きている以上、現在と未知の未来へのかかわりがあるからである。歴史的過去として固定されたものの中にしか、人間の客観的行動を読み取ることが出来ないし、これも生きた人間が見る以上、そう簡単に客観性を理解させるわけではない。もし、そうでなければ、個人が常に即座に客観的に正しい解答をし、歴史の活動そのものが成り立たなくなる。個人が、その存在を確信しながらも、具体的には客観性をぼんやりとしか捉えられないことに、個人やその集成である社会の活動、つまり歴史が成立している。政治的行動が未知への投機（少なくとも部分的には）であることがここからも解る。

主観の恣意を最大限遠ざけようとした自然科学に対して、哲学はまさにこの主観を対象とし、この主観に確実な客観性を打ち立てようとする努力である。そこに介在するのが他人とのコミュニケーションであり社会である。逆にこの客観となった主観は自然科学に於ける客観よりも確実で不可避的な客観となる。**なぜならば自然科学ではこの客観の根拠を（主観に存していることを）不問にせざるを得ないからであり、この問題は哲学が扱う問題であるからである。自然科学の最終的な鍵は哲学に握られていることになる。**

主観が哲学の第一の基礎であることが規定されたら、次に規定されるのは神の問題である。これは一見、より知識の広まった現代の問題ではないように思われるが、それは宗教が現代生活に関わることがほとんどなくなり潜在化したことによるが、その定義はスピノザが明確な形でして以来、ドイツ観念論においてカント、フィヒテ、ヘーゲル、フォイエルバッハによって前三者が潜在的（たぶん当時の強いメッテルニッヒなどによる検閲体制によって、と言っても宗教の役割を否定しているわけではないが）、フォイエルバッハが顕在的に定義しているが、ところが逆に、産業革命、科学の急速な発達によってその問題がまた取り上げられることがなく不問にされたままで現代に至っている。

スピノザによって神は自然そのものであり、神は自然に内在するもの（スピノザの神とは人間を含めた自然の法則の総体と解釈すべきであろう）であるという所謂汎神論に至ったが、カントに始まったドイツ観念論に於いて、フィヒテがこの神の概念を主観に接続し、ヘーゲルが絶対知という形で体系化したと見るべきであろう。ただ18世紀から19世紀前半に於いて「**主観＝神**」等というその時代にとって冒涜的なことはまだ表だって言えるような状況ではなかったと推測される（たとえ現在でもこの内容的な説明がない限り自分の思ったことは何でも正しいというような乱暴な発言としても捉えられかねないのではある）。

(a) 自己化された世界（いわゆる主観）と客観的世界とは異なるものなのか？（超越的客観世界が存在するのか？）

観念論では客観的世界も自己との関わり合い以外では感知されることがないので、人間個人の感覚を超えた独立した超越的客観世界なるものは存在しない。自然科学者から見れば一見考えられないような世界に見える。これは科学の発達によって自然科学像が変化して行き何か超越的客観世界（人間にはいまだ十全には感知されない確固とした世界）が存在するように思えるからである。これは実は人間の作る社会の進展という主観の側の進展によっているのであって、客観の側が厳然として人間にはいまだ捉えられないような人間から独立した超越的客観世界を徐々に開示していくのではない。

人間自体が自然の中で生息し、その自然の法則によって存在している以上、その外界である自然との密接な関係で存在している。したがって、人間がその自然全体からすれば、ほんのごく僅かな部分にもかかわらず、自然全体との関係がその小さな部分にもいろいろな形で（その一部が意識的で自然科学、国家その他の文化の形で、そして大半は無意識的に）その全てが表現されていると考えるのが妥当である。人間全体として把握されたこの世界すらも、一個人にはその全てを、とうてい意識することは出来ない。自分の過去でさえ必要性の少ないものは次々と忘れ去られ、現在の問題に取りかかることが出来るようにしているのが人間の機能的な姿である。個人の行動は一度に一つと限られているので、忘却は重要性を選択し混乱せずに行動にかかりやすいようにする人間の重要な生物学的機能である。人間は無意識に自然の全てが自己の中に存在し、あるいは受動的には自然の全てによって動かされていて、そこには実は不完全性は存在しない。ただ意識に載せようとすると、一個人の窓は狭く、総体の中から選択せざるを得ないために、当然のごとく不完全性の意識にとりつかれる。それは行動の必要性からこのような仕組みになっているのである。行動の性質が選択であるからである。従って、その行動に無視されたものが、将来的に重要性を増してきて、それ以前の行動を修正あるいは否定するような形で行われたりする。このように行動は連続し限りのないシジフォスの神話となる。生の中にそれが織り込まれている。

したがって、人間が受動的無意識の存在としては、客観世界はその人間が存在することで全てを表現している。意識としては存在の後に来ざるを得ないものとして、部分的に不完全に表現され、これが超越的客観世界が存在するかの印象を与える。

したがって、人間が感覚するものの中に世界の全てが存在するが、それが感覚されたものとして同時に感覚される器官の構成要素として全世界が存在するが（なぜなら人間は世界の構成要素として成立しているからである。）、しかしながら、意識の上では、社会の発展段階によって意識された世界は、その時の人間の必要性に従って表現されている。これが限定性、不完全性の感覚を生むが、これ以上の世界は当面必要がなくなる。したがって、これが全世界であるということも出来るのである。それ以上意識することが当面の問題には不可能かつ不必要であるからである。観念論の世界は主体の必要性（能動性）抜きには何事も描写することが出来ないという主張である。つまり、特殊具体性によってしか、普遍性は表現出来ないし、不完全性を通してしか、完全性をかいま見ることが出来ない。不完全であるという意識から、カウンターパート（2があれば1が絶対的にあるように）として完全性を想定せざるを得ないのである。これが人間の運命で原罪と呼ばれるものであり、これが〝特殊〟と〝普遍〟の関係である。また、議会での多数決原則も各人の主張が現実の基づくものであるために、決してお互いに譲ることはないので、実行という排他的世界を考えると、優先的にやることを決めるための手段であることは、今のところ（むしろ永遠に）の客観的な事実である。その決定機関を持つ余裕のないところでは、一人あるいは一人プラス顧問が決めることになり、現実に合わない決定を強行すれば、それは暴君となる。

また、人間には自然全てが少なくとも潜在的に存在する、というところから、神の概念も人間個人においても顕在的な度合いは異なっても、少なくともほとんどの場合潜在することになる。これはライプニッツがおのおののモナドは小さな神であると言ったことに呼応する。なぜならモナドはライプニッツに従えば精神などのような一体系性を持つものだからである。小さな体系でも、その〝一体系は〟体系をなす限り全てを包含する神の概念をなす。ノヴァーリスもまた同様なことを言っている。そして厳密に先入観なしに観念論に従えば、神は人間の肉体精神以外のどこにも存在しないことになる。ヘーゲルの宗教性に反発したヘーゲリアンであり、唯物論者のフォイエルバッハの結論でもあった。唯物論と観念論は全く相反するように見えるが、子細に見ていくと唯物論者にも、例えば**スピノザ**の「**共通感覚**」やこの**フォイエルバッハ**の「**人間神論**」のように**観念論的要素**を発見することが出来る。

α：特殊具体自己を普遍化しようとすることが全ての人間活動の原理

上記に従えば、人間が感得する全てである世界、神、自然が一個の自己に根ざすものであることになるが、具体的特殊自我にとっては、自然に沿って生きる限りに於いては完全であるが、一旦知的に理解しようとする時から、その不完全感は始まる。これは生命としては当たり前のことである。生きて活動するための道具としては、社会生活する以上、理性以外に頼るものはない。理性というものは死（自然の完全性にまた戻るからである、決定論）を想定した生命だとも言える。なぜなら人間には単純無意識に生きる以外に、社会を形成する理性（または原初には宗教）が必要だからである。完全に世界や人間の生命を把握することの永久に出来ない理性であるから、人間の永遠に解決には至らない持続する歴史が形成される。これらの歴史や世界や理性は特殊個人を他人との交流の於いて、より普遍化することで描くことが出来る。従って人間の全ての活動、自然科学であろうと、哲学であろうと、特殊具体的個人の適用結果であることになる。歴史という波状的変動も、人間の自己の変動の歴史と同じである。自然科学の発達もまた同様である。この特殊具体を基礎とする自己（自我）は普遍を目指し、どの時代に於いてもその自我自体の基礎は変化がないので、あらゆるものを判断する基準となり、別の名前で言うと理性となる。理性の基準となり得そうにもないもの、神にもなり得ないものである自己が、逆説的に、その双方になり得る可能性を持っているし……それ以外ではない。自然科学が完結し得ないのも、人間の歴史が決してユートピアになり得ないのも、これが原因である。あらゆる事実は批判し得るが、それをどこで止めるかの判断は微妙なバランス感覚が必要となり、この判断力の方が、より知性を必要とするであろう。具体的な自己、と同時に普遍的な自己（人間性）に立脚する必要がある。ルネッサンスのヒューマニズム回帰と古典回帰は同じ意味を持っている。超越的なものから具体的な自己への回帰である。外を内へ引き戻すことである。

β：イギリス経験論とドイツ観念論は本来共通の基盤に立ち統一的なものである

認識の根拠を経験に基礎付けるイギリス経験論と、その根拠を人間主観の理性に基礎付けるドイツ観念論とは全く対立、対極にあるように見える。どちらも産業革命と同時に生まれた合理論である。

しかし、経験というものは人間の意識に載せられたもので、意識は共通の基盤を持つ他人の存在なくしては成立し得ない。つまり相互主観性による特殊個人的意識の底に潜在する共通意識、共通自我の確認（カントで言えば〝統覚〟、ヘーゲルで言えば〝絶対精神〟）がなければ成立しない。したがって、経験論は観念論を基礎に置かなければ成立しないことになる。

まず、ホッブスは唯物論的ではあるが経験論と呼ぶにはあまりふさわしくない。人間精神の能動的働きに相まって発生する主観的表現としての〝思考〟の存在を認め、その表現である判断や推理などに不可欠な〝言語〟の必要性に着目している。〝言語〟は秀でて観念論の道具であり、その中核をなすものである。言語と思考には強い連続性がある。それは単に組織段階の違いである。

次にロックであるが、彼は因果律の無条件的な承認、自我の直覚知による確立などがあるが、前者はカントによる観念論概念の一つの重要な柱である。後者の直覚知は上記のごとく共通性を持つ他人の存在なしには成立しない。観念論的要素をその中核に持つと言えそうだ。

バークレー（１６８５〜１７５３）はカント（１７２７〜１８０４）に先立つ観念論者と言えるであろう。また、主観的観念論者とも客観的観念論者と呼ぶことも出来よう。彼は、「独我論」を回避するために知覚されない時の観念の存在を保証するために、〃他我〃の存在と他我の知覚による観念の保証を試みている。これは相互主観性による自我の形成である。

ヒュームの懐疑は徹底的に思考法を見直したカントの〃批判〃概念に繋がっていく。どの経験論も観念論に接続していくと考えることが出来るし、その基礎を形成していると見ることが出来る。産業革命でドイツに先行したイギリスで生まれた経験論が、ドイツの観念論に繋がっていくと考えた方が良さそうである。そしてドイツが後に先行したイギリス思想を吸収し、科学思想や工業で追い越していくことになる。

② 哲学は多様なのではなく、合理主義哲学が一元的に存在するのみ、感動と直感の役割

この一元性は自然科学では自明の理ではあるが、哲学ではそうではない。この原因は以前に述べたように、哲学では「主観」を扱うからである。個別的（特殊 individuelle, besondere）主観が共通性、普遍性、客観性に到達すれば哲学が自然科学同様一元的であることは説明出来たことになる。おのおのの個人的主観はその状

況の違いを表現しているが、どの個人的主観も同じ状況に持ち込まれ、かつ過去の経験記憶が同じならば同じ表現をすることになるはずである。逆に各個バラバラの個人のその表現は、それ以前の経験によって異なりはするものの、過去の経験量が集積するに従って、返ってその表現の共通性に漸近的に近づいてくるはずである。それは経験の特殊性、恣意性が薄まっていくからである。この場合にも全てが一致しなくても方向性が推測出来てくれば、すでに確実な証明が得られたようなものである。常に百パーセントの証明がなくとも（もっともそんなことは絶対にあり得ない）、その客観的確実性が立証出来るようになっている。**特に一致したときの感動性が強ければ強いほど、その二元性に関する確実性は強く、残りの些細なことに拘泥することは、返って確実性の中心からずれることになる。なぜなら些細な部分は状況の違いによってくるのであり、人間の本性からは遠いものであるからである。**

主観の共通性は人間性の共通性、普遍性であり、これを描くのが哲学の役割であり、また文学その他の芸術の役割でもある。したがって、どの哲学者も、このある決められた対象にアクセスしても、このある対象は同じものであるはずである。人間という対象は普遍的で共通なものである。ただし、二つの物体あるいは二人の人間が同じ場所を占有することはあり得ないので、立たされる立場が各人各様に違っていて、ライプニッツが言うように、見る角度だけが異なっているのである。しかし、その対象が抽象的になればなるほど、それが日常的なものではなくなり、各自の経験の経路の違いによって、命名法が異なってくる可能性はあり、各哲学者独特な表現になる。個々の哲学者が違っているので、哲学者の数ほどその扱う対象があるというのは、考えてみるとおかしなことである。これは全く同じ対象を扱いながらも、ただ立場の違いの多様性から言い方や用語の使い方が異なっていると考える方が正しいであろう。哲学者の言葉は非日常的である。それを複数並べて共通性を見るというのは、やっかいそうに見えるものである。特にある思想家の考えを裏切らないように字句にこだわり始めたら、全く不可能に見えてくるはずである。一人の哲学者の中では、その思想が形成過程にもあることもあり、対象の把握が未だ不十分なときもあり、また個性や論争状況によってねじ曲げられているときもあるだろう。しかし、素直に考えてみても、我々が共通に考えないことを考えても興味も持てないし、コミュニケーションも成り立たない。少なくともあるフレーズを読んで**〝感動〟**したならば、自分との共通性を深く呼び起こしたに違いない。**〝感動〟とは〝直感〟と同様深いところに触れていて、即座にはその証明が出来なくても確実な客観性を有していると言える。****〝感動〟**や**〝直感〟**があれば、後は他人に理解が出来るように証明していけばよいのである。それは客観性の大きな基礎であり、客観性はこれがなければ意味がなく、それは空虚な人間（自然）不在である。〝感動〟による共通性の発見は孤独からの開放であり、可能性を広げることである。孤独は闇であり、共通性の発見は理性の光である。理性の光は方向性を与え客観性を与える。客観性とは各個人バラバラであった主観の共通性の発見である。主観の中に客観性が組み立てられ再発見されて、それが理性となる。この時点で主観と客観が一致する。**ヘーゲルの言う「絶対精神」**（彼の〝絶対〟という言葉の使い方は気になるのだが、その時のロマン主義的影響なのかもしれない）でもあろう。物事を理解するには理性しかなく、理性を行使している時には、たとえその完全な結末には至らないと知りつつも、全てが必然によって決められているという決定論を確信している。そうでなければ行動を起こすことは出来ない。偶然というのはその必然性を理解出来ない時に、そのように言う。スピノザは「人は自由だと思っているが、実は全て必然に従ってそう行動していることを知らない」というようなことを言っているが、これも全く同じ内容である。ただ必然や理性で全てを把握することは、いつまでたっても人間には出来ない。ここに全ての人間の争いごとや種々の問題が生じてくる。しかし一度理性で物事を理解したことがあるならば、人間は理性への信頼を獲得したことになる。**理性は人間にとっては唯一の光であり、それは共同の**

喜びでもある。暗闇か一点の光かの選択である。問題はその一点の光でもって解いていくしか人間には選択はない。そして、哲学では、その合理性、その理性は主観と一元論がその基礎にあることも理解することがかなり難しい点である。

(a)　人間の観察対象である自然が皆に共通で一元的であるならば、観察主体である人間主観も間主観性によって一元的になる：一元的自然 vs 一元的主観（自然の一部である。）

これは決定論と同様に非常に厳格なようなことを言っているようだが、行動や思考が結果するものであって、その過程とは異なる。しかし、**この一元性を想定しておくことは、自分が孤立感を味あわずに無駄に迷うこと、そして希望を失うことを防ぐことにはなるであろう。**

主観をなしている基礎が普遍的で一元的であるならば、他方、対象の方もさまざまな哲学者がさまざまに異なった言い方をしても、全く同じ対象を相手にしていることだって、希にではなく頻繁に起こっているはずである。哲学の文章の難解さ、各哲学者によって言い方の違い等が、この対象の共通性を見抜くことを難かしくさせるのだが、人間の性格の普遍性、共通性を考えると、ほとんどの哲学者が同じ対象を相手にしているはずである。したがって、主観から見た主観が普遍的であり一元的、つまり観察主体が一元的である一方、その観察される対象である主体も一元的である。したがって、哲学も自然科学と全く同じ状況であり、厳然とした客観性が存在することになる。そして、各哲学者の恣意性なるものはコミュニケーションの対象ではなく、その共通性がコミュニケーションの価値となっているはずである。より共通性を切り出している哲学者が、より価値のある読むべき哲学者ということになろう。このことは他のジャンルである小説などでも共通のことである。小説は極度な特殊性、特異な経験を描くことによって、逆に人間の普遍性に気づかせるのである。極端な状況の中であればあるほど、より純粋な形で人間の普遍性が表れ、それだけ人の注意を引きつける。共通性を確認し認識することはあらゆる思考や行動の基礎となるはずである。これを認識していなければ社会的な価値を生むことはない。何故なら共通性とは社会性と同時に自己を意味するからである。

18世紀末から19世紀中葉、フランスなどの影響を強く受けながら、1848年の初めての議会が成立する頃までのドイツでは、古典音楽、文学、哲学などの文化が百花繚乱の状態を呈していて、イタリア・ルネッサンスに匹敵すると言って良いだろう。一方、19世紀後半から特に理論物理学がドイツを中心に大隆盛を迎えた。理論物理学はもともと事実の結果を集めて理論化するという面で哲学に近親の要素を持っているが、理論物理学者には哲学的影響力を持っている人、また哲学に深い関心を抱いている人達が多い。音速にその名前を残している**エルンスト・マッハ**（1838～1916）はカントの「**プロレゴメナ**」に大いに感銘を受け、「**認識と誤謬**」、「**感覚の分析**」や哲学講義が有名で、哲学的影響力は大きく、アインシュタインに彼の「**相対性原理**」はアインシュタインが体系化しなかったならば、マッハがしたであろうと言わせている（しかし、マッハは、よくあるように、アインシュタインの相対性理論をその後否定しているが）。そして、**アインシュタイン**（1879～1955）は若いときにカント、ヒューム等を読書会を組織して読み、特にスピノザの評価は多くのドイツ哲学者と共にとても非常に高く評価している。彼の物理学大系はヒュームの徹底的な批判性を通してカントとスピノザの一元論哲学を彼自身が意識しているかは心許ないが、理論物理に写し取ったようにも見えるのである。もしそうならば、理性や人間精神のジャンルを通しての基本的な人間性に根付いた普遍性が垣間見えることになる。この点について直接アインシュタインにあるいはジャーナリストが聞いているが、答えは曖昧であって「そうかもしれないが、はっきりは言えない」などと答えている。

２０１５年にノーベル賞に決まったニューウトリノの質量の証明も、物質が反物質をサハロフによれば10億分の一物質の方に偏っているがために宇宙や世界が存在しているとのことである。これも人間社会の存在と善悪の問題示唆を与える哲学的内容である。

他に興味深い哲学論文を残している理論物理学者に**ボルツマン**（１８４４〜１９０６）、量子力学の立役者達でウパニシャッドやギリシャ哲学に詳しい**シュレディンガー**（１８８７〜１９６１）や生物哲学の興味深い講演のある**ニールス・ボーア**（１８８５〜１９６２）がいる。しかし、この理論物理学のヨーロッパでの隆盛はナチの出現によって終焉を迎えることになった。

ここで考えてみると、ドイツを中心とする19世紀前半の文化的隆盛と19世紀後半からの理論物理学の隆盛の間には、産業革命の本格化と民主化の動きがあり、ちょうどマルクスがそれらを繋ぐ格好になり、合理主義哲学が理論物理学に引き継がれたと見ることが出来よう。いかに産業革命が哲学に及ぼした影響が大きかったかが伺われる。もっとも産業革命ほどのものが、あらゆる面に大きく影響するのは当たり前と言えば当たり前すぎるほどであるが。このように社会経済的に大きな変化が、文化の形態に影響を与えたように、同じ産業革命でも国によって文化形態への影響は異なっているようである。フランス革命を経たフランスでは農業国であり、ドイツ、イギリスより南に位置するラテン系でもある。より生活に密着した文学や美術、食生活での文化が発展したのだろう。島国であるイギリスでは海外覇権に力を入れたのか政治経済に特徴があり影響力がある。このイギリスは産業革命をドイツ、フランスに先立って牽引し、海上覇権を握り植民地拡大を一番大々的にやったことと関係があるのであろう。なぜなら産業革命は経済力を植民地拡大に持っていき、かつそこから経済力を得たが、まずはそこに勢力を集中すると文化そのものを醸成することよりも内的にも外的にも政治力を考えることが必要となるからである。

α：以上のことをヘーゲルによると

この哲学の一元性についてはヘーゲルの二つの「精神哲学草稿」など多くの興味深い原稿のあるイエナ時代の作品の中に「フィヒテとシェリングの哲学体系の差違」があるが、ここに一番大々的な説明がある。

「絶対者とその現象、理性が永遠に一にして同一であるとすれば（実際そうなのであるが）、自己自身を目指し、自己を認識した理性は全て、一つの真なる哲学を産出し、

あらゆる時代に渡って同一な課題を解決してきたのであり、その解決も同一なのである。哲学に於いて自己自身を認識する理性はただ自己のみに関わるのであるから、理性自身の内に理性の全作品と活動が存するのであり、哲学の内的本質に関しては先行者も後継者もないのである。

哲学の恒常的改良が問題となり得ないと同様、その固有な諸見解も問題とはなり得ない。理性的なものがいかにして固有であり得ようか。ある哲学に固有なものがあるとすれば、それは、まさしくそれが固有であるが故に、体系の形式のみに属するのであって、哲学の本質に属することは出来ない。」（翻訳、Ｐ12）

また2頁後に「思弁とは、一にして普遍的な理性の自己自身を目指す活動であるから、それは、様々な時代や頭脳の哲学体系の内に、単に様々な様式や純粋に固有な見解を見るのではなく、自己自身の見解を偶然性や制限から開放した時には、特殊な諸形式を通して自己自身を見いださなければならない。そうでなければ思弁は、悟性的概念や私見の単なる多様性を見いださなければならなくなるが、このような多様性はいかなる哲学でもない。ある哲学の真に固有なものとは、理性が特殊な時代を素材として自己を形態化した個体性に他ならず、正にこれが関心を引くのである。」（翻訳、Ｐ14）

もし哲学が科学と同様に統一された平面で作業をするものならば、新たに哲学の本を書くということはどういう意味を持つのであろうか？　この面では自然科学より厳しい問題に直面しているのだろうか？　自然科学は次々と新しい場面へと伸びていくが、哲学にはそれがないことになる。哲学はほぼ必ずと言っていいほど一度、箴言的ではあっても、すでに取り沙汰された問題を取り上げることになる。そして、問題意識によって、あの問題を取り上げて、この問題を素通りするようなことになる。それはそれでいいのだろう。ただ引っかかった問題に関しては、新たな問題意識でもって拡大し詳説していくことになる。これが哲学がその時代に適応していくということなのであろう。**適応とは応用しやすくすることである。普遍を覆い隠してしまった時代を解釈し、再度普遍の問題に繋げていく。**芯にある問題は常に同じで、哲学にとって古典は常に重要であり続け、その価値は時代の変化を受けない。哲学の目を養うということは、見過ごしていたものの価値を再発見することである。なぜなら時代によって必要とされるものが常に変化していくからである。このことは、過去、現在の内で意外なものに価値があることにも再発見させる機能がある。より理論化することで、具体的に細かく変化した場面に、自分以外の皆が利用することが出来るようになるので、利用価値が上がるのである。これを見過ごすと無駄に何もない空間を堂々巡りをしなければならなくなる。個性や行動は物事の偏在性を示し、同時に生命活動を示している。これら個性や行動が載る枠組み（いわゆる普遍的人間性）のみが完全性を示す。この枠組みが自然の人間を含めた総体である神と呼ばれたものである。行動として実現すること、あるいは実現して事の連鎖としての歴史にはめ込むことによって初めて理性を描くことが出来、その理性によって神の所在を推測することが出来る。円環の一部を知ることによって完結した円を想像し描くことが出来るように。

また、この本「**フィヒテとシェリングの哲学体系の差違**」の第三章「フィヒテとシェリングの哲学体系の比較」には、自然哲学、つまり現代で言えば自然科学と哲学の連続性を語り自然科学は客観的主観である客観（対象は人間の外）であり、哲学は主観的主観である客観（対象は人間自身）であると言う。自然科学は純粋に客観的に見えるが、その理論には、ほぼ完全に無意識にはなってはいるが、主観の要素がしっかりと裏打ちされ、反対に哲学に於いては主観的に見えるが、感覚という形ですでに客観がその基礎にあるということを語っている。その主観を客観化するのは「**相互承認**」であるというようなことを言っている。「**相互承認**」というのはフッサールの言葉で言えば「**間主観性**」で、多くの個人的主観が出会うことによって自然に共通の認識、共通の感覚、スピノザの言う「**共通感覚**」が形成される（カントで言う**統覚**）。これが個人的主観に客観性をもたらすことになる。そしてこれが神という絶対性（普遍性）と関わることになる。

β：哲学は決まった作品の研究ではなく自己の体系に沿った自己表出である

ところで、哲学作品を書いた哲学者も、それを読む読者もそれぞれの個性を持った人間達であるが、哲学作品の全てが普遍性を提示しているわけでも、全ての読者が常に普遍的なものを評価するとは限らない。その人生過程によって、それを多くの人が評価すればよいのであろう。哲学者も青年期や成熟期があるであろうし、常に完成された形で作品を提示するわけでもないし、そのようなことは論理的にも考えられない。しかし、それらが普遍を掘り出そうとする努力であることには間違いはない。したがって、一人の哲学者なり、一つの作品なりを完全に解釈仕切るなどと言うことはあり得ないし、そういう努力は労多くして効少なしであろう。それ故、翻訳者は大きな困難に出会わざるを得ない。それよりも深く共感するところを見つけ出し（このような部分は、逆説的に見えるかもしれないが、部分的であろうと、その思想家の全体をすくい取ったとも言える。したがって、その共感でもって解らない部分の多くが次々に解けていくことにもなる。）、自分の思考の糧にすることであろうし、そういう部分を集めて自分の考えをまとめていくことであろう。この方が他人から見た時に分かりやすいし共感を呼ぶことであろう。いわゆる研究者達が重箱の隅をつつき合うのは、専門ではない人達からは奇異に映り、興味をそぐことになるであろう。よく政治家達の議論に嫌気がさしていくのはこれである。何だか分からない議論の末に、ろくでもない行動を結果するようでは、その議論自体が意味のないことであったことを証明するようなものである。今日、難しい試験を経て超エリートであったはずの官僚達が批判されるのは大局である人間性を見ずに細かい規定や言葉に足をすくわれるからである。細かいところを追求し始めたら際限がないし、大局ばかりでなく自己も見失ってしまう。大局というのは、逆説的なように見えるが、自己という確実で避けられないし避けてはならない具体性を通して初めて分かるものである。他人事を自分のこととして捉えることである。

以上のことからすると、個人的一貫性がある自己を最優先にすべきであって、その表現の細部からは見えてこない他人の個人的一貫性は細部にはこだわらず、普遍的一貫性が見える所に関わるべきである。つまり感動、共感がないところでは一貫性は見えてこない。

絵の場合、より完全な具象に絵を仕上げようと思ったときに、細部の記憶を思い出していけば、結構人間には時間をかければ、記憶力の検証によって描く能力はあるようだ。そのような写真を描くような画家も過去にも現在にも存在している。しかし、大抵は自分の関心が集中するところだけを中心に描く。これで、個性が前面に出るので、見る人の好き嫌いは出てくるが、この方が返って伝えたいところを伝えることが出来るようになる。観念論というのもこのようなもので、写真のような無関心な完全な描写ではなく、自己の関心（のある対象）がその中心に置かれる。このような形でなければ人間の間のコミュニケーションは成立しない。いわゆるカリカチュアというものは、特に特筆すべき特徴を絞り出して描くものであるが、そうすることによって、コミュニケーション・ヴァリューが格段と上がるのもこの特徴を良く表していると言えるし、秀でて観念論的であると言うことも出来よう。

いわゆる学問の世界で研究書と名の付くものの多くが面白くないのは、いまだそれを書く人達の自己が削り出されていないことによると考えられる。自己という一貫性が見えないものは、人間的に魅力、暖かみがないのである。まだ伝記のようなものは、対象として人間を扱うので面白いが、そうでない場合は研究対象に対して自己自身を従属的な立場に置いているので、自己の人間的なまとまりが見えず、面白味がそがれる場合が多い。子供にとって両親の昔話は必ず面白い。しかし、何よりも一番まとまりが見えるはずの自己が、他の何ものかに従属すること自体があり得ない事実なのであり、これは動機付けのどこかに矛盾があるのであろう。もっとも、自己と言っても表面的な描写ではまとまりがなく面白くない。まとまりがつけられる自己というのは深みのある自己ではあるが。まとまりのある自己というのは、独特な個性によって掘り下げられた普遍的な自己のことである。具体の特殊性から見られた普遍性のことである。具体の中にしか普遍は存在しないので、具体の中の枝葉末節をそぎ落として普遍を前面に出すことである。自己を通した現実的なものは理性そのものである。

γ：アカデミー批判

大学院ではまだ若い学生が多く読書量も限られてくるので、一人か二人の作者に関しての作品や作者研究をするのが習わしである。必ずしもまだ自分自身の思想が形成されているわけではない。思想形成は多くの場合、40代以降になってくる。逆にこの習わしに反して自己の意見を書き連ねると、それは有効なものとは考えられなくなるようになる。これが判断する教師の側の態度となる。そして、これが社会に出たときも踏襲されてしまう。古典として残っているものは作者自身の考え、独創性が全面で見られる。つまり、アカデミーの作品ではないのである。教育組織が良く整えられたのは良いがドグマ化しているのである。パワハラなどはごく当たり前の過程となる。下から間違いを指摘されるのを極度に嫌う。いつの時代になっても革命的な変化は必要となってくる。一度決まった大きな生活体を変化させるには大きな力が必要となってくる。大多数に対する戦いであるからである。この変化を経験しないと他の国などに置いてきぼりになるのは、歴史が多々経験したことである。特に日本は組織がしっかりしているので、長所があっただけに自由にやることには反発が一段と強い。自由がなければ自動的に創造性がなくなる。政府、官僚、お偉方、忖度人間、警官だらけで人間が住まなくなる。創造性とは自己表現そのものであり、これはどのジャンルにも言えることである。組織力にます人間性が表れたときに変化が起こる。

また哲学は、文学や芸術と同様に人間の普遍性の探求であり、そこには進化の概念はない。進化の概念は科学技術と社会の発展に関するものであって、人間の本質の問題ではないことも、合理主義哲学が産業革命以後一時停止している理由でもある。人間の普遍性は神概念同様、進化は存在しない。深化、つまり〝意識化〟のみである。

〝意識化〟つまり〝社会化〟、つまり社会と同時に個人にも使用可能にすることである。

ここに古典が古典になる理由がある。

3 合理主義的一元論哲学のより見やすい系列

哲学が一元論を打ち出すという意味は、哲学の対象が自然科学のように全ての哲学に於いて哲学者達のさまざまな言い方にかかわらず同一であるということである。どんな哲学者であろうと全ての哲学者がまとまるはずであるが、これが簡単に見通せるものではないことは、自然科学とは異なった不可避的に主観（人間の精神）を通して主観を対象とする哲学の特徴である。しかしながら、抽象的な体系、操作方法、ある事実を扱うと、ある決まった事実に行き着くという一連の哲学者達がいることも事実であり、これは時代や場所を遠く離れて関連が出てきたり、全く影響関係を考えることが出来なくても共通性が見られることも、逆に哲学の一元性を示す結果にもなっているように思われる。

その一つのメルクマールが合理主義である。哲学では合理主義は自然科学におけるように生命性（同時存在する多様な関連性）を度外視することは出来ない。さもなければ人間自身を扱う哲学とはならない。**合理主義哲学は、理解出来ないがために通常**

神秘的であるとされる事態や自然科学的には捉えられない生命現象を捉えようとすると考えてよいであろう。その最たるものが「宗教」、「神」、「自由」などの問題であろう。自然科学ではこれらのことについて議論すべきでないし、議論出来ない。自然科学は生命一歩手前のアミノ酸までの生産は出来るが生命体自身を作ることは出来ない。自然科学は構造的に、そして、その出発点からして生命を作り出すようには出来ていない。人間の思考自体が、その成立組成からして、生命を作り出すものではないからである。もしそうならば、人間が考えるだけで生物存在を作り出すことが出来るであろう。

注 医学と哲学

脳の化学的なプロセスの説明から近年人間の感情を説明出来るまで近づいたように見える。これは、例えば鬱病などに対処するのにセロトニン阻害剤などのような薬が使われたりする。しかし、人間の外から注入する薬は必ず副作用などがあり、その複雑きわまりない全体状況に対処するものではなく、説得行動療法で恒常的な快復をはかる方が副作用なく快復出来ることがあるとされる。説得行動療法と言っても一個の人間の感情問題なので、他人にもそうは簡単には把握することは出来ないが。医学は常に人間を相手にしていて自然科学と哲学の領域の境を相手にしている。自然科学的医学は西洋医学と呼ばれ近年非常に発達し非常な威力を発揮している。しかし、患者がその病気にいたる経緯、精神的あるいは生活上の過程は問わないことがほとんどである。その病気の完全治癒、あるいはその病気にならないためには患者側の理解が必要となる。これが哲学の役割でもあると考える人は実は少ない。西洋医学と呼ばれるものは、救急対応として、外から薬なり手術などを施す訳だが、体は本来体のものではないものを吐き出そうとして副作用が起こってくる。病気という不具合は病気になる前に遡って、人間を考える機会である。その意味で、医学は事が起こってからの学問であるのだが、哲学も同様で**ヘーゲルの**「**哲学者は手遅れになってやってくる**」というのは言い得て妙である。これが理由で、手遅れであるとは意識していない医学の領域で手遅れを宣言する哲学を考える人は少ない。逆に医学という自然科学は哲学の領域を大いに侵略していることになる。フランスの生理学者、特に**クロード・ベルナール**（1813～1878）はこの境界問題に触れている、現代では生理学者の**フランソワ・ジャコブ**がこの領域を扱っている。二人ともフランス人で、ドイツ工業国のように冷たい科学性よりも、生活を楽しみ生き生きとした生命性を好むその農業国の雰囲気が影響しているのかと思わせる。その意味でエラン・ヴィタル（生命的跳躍）を考えたベルクソンやサルトルは、非常にフランス的な哲学であると言えるであろう。しかし一方、スピノザやドイツ観念論のような神の概念や主観性を合理的に扱うことはフランスでは根付き難い土壌があるように見える。

ところで、「宗教」、「神」を合理的に捉えようとした思想家達は、ギリシャ時代にはエピクロス、ディアゴラス、ヘラクレイトス、アナクサゴラス、ストア派が典型かもしれない。後に12世紀、スペイン、コルドヴァ生まれの「**迷える者への導き**」を書いたユダヤ人の**マイモニデス**。また、マイモニデスが影響を与えた13世紀ドイツ、チューリンゲンに生まれ、しばしばパリに住みフランス、アヴィニョンで亡くなり、死後教会からその作品を焚書処分にされた**マイスター・エックハルト**。すでにこの思想家に於いて一元論と観念論の共存が見られる注目すべき思想家で、その影響はフィヒテ、ヘーゲル、ハイデッカーに及んでいる。以後、イタリア・ルネッサンスの**ポンポナッツィ**、17世紀イギリスの**ホッブス**、オランダの**スピノザ**、18世紀ジュネーヴ生まれの**ルソー**（彼は合理主義者ではないという人がいるであろうが、彼の宗教思想は合理的な考えと全く矛盾はしない。）、そして**フィヒテ**、**ヘーゲル**に繋がる。

合理主義に続く二番目の系列は一元論である。プラトンもそうであるが、明確な形で一元論を全面に持ち出して体系づけたのは**プロティノス**、**プロクロス**など新プラトン派からである。**エックハルト**、同じくドイツ15世紀の**ニコライ・クザーヌス**、イタリア・ルネッサンスの**ジョルダーノ・ブルーノ**と**ピコ・デッラ・ミランドラ**、以後、上記同様**スピノザ**、**フィヒテ**、**ヘーゲル**となる。

フランス革命前後の社会的雰囲気の影響から「**自由**」の問題が大きく取り扱われるが、この自由の問題は必然的に「**国家**」の問題に導かれて、合理主義一元論の普遍的問題の一つになる。スピノザの「自由」は必然的に「**必然**」の問題に行き着く問題でもある。「**自由**」**と**「**必然**」、「**国家**」**は完全に対局の概念に見えるが必然的に繋がった概念である。**この概念が明確に出ているのが**ホッブス**、**スピノザ**、**ルソー**、**フィヒテ**、**ヘーゲル**であると言える。フィヒテとヘーゲルの場合、若いときにフランス革命に狂喜した世代だけに、自由が必然に結びついていることは知っているものの、スピノザのような明確な言い方はしない。自由の概念を必然にはっきりと結びつけるには大きな心残りを示している。

自由とは闇雲ではない。闇雲は必ず他人と衝突することは必然で、この自由はその反対概念である最悪の拘束に導いてしまう。自由とは欲求の充足であるが、その充足の道は理性によって跡づけられる。それは自然の一部である自己の必然の充足でもある。そして、この自己の必然の充足は理性を描き国家を描く。この個人の自由の組み込まれた国家は、自己自身であり自己を含む自然全体でもある。これが理性でありヘーゲルの言う絶対精神であり、スピノザの言う神（理性、全体）への愛である。合理主義の語源である **Rationalism** は理性主義とも訳すことが出来、これが本来の意味であろう。

現代はこの理性によって描かれる人間を含んだ自然の全体を示す用語がない。以前は宗教があったので、大半の人々はそれを理性的に捉えられないにもかかわらず、それは「**神**」という用語が与えられていて、誰もが知っていた。この「**神**」の概念は物事の全体を示すだけに、大半の人間にとって日常的な理性では、あまりにも抽象的すぎて把握することが出来ず、宗教に於ける信仰に頼って急場をしのいできたわけである。この信仰は現代的理性にとってはもはや役目を果たし終えたと考えられ、「**神**」の概念が以前に存在するにもかかわらず、それが不問にされていったというわけである。この神の概念は理性で捉えられるものの極致であって、理性で捉えることで、初めて以前に優勢であった宗教の役割が理解されることになり、現代に於いて、その隠されてしまった力に言葉を与えることで、多くの厄介な問題を解くヒントが与えられることにもなる。その神または自然の観察主体であるのは、（個人的）人間を意味するのである。自然科学では、観察対象が人間の外に設定してあるので、観察主体のことを不問に出来るし、個人による恣意性を排除することによって、客観性という共通基盤を得ようとしているのである。哲学では、この観察主体が不可避で、最大唯一のテーマとなるところが自然科学と対極をなしている。観察主体には客観性などはなく、どの哲学者も自分勝手なことを言っているとするのは、実は間違っていて、この主体自身の中に客観性の基準が存在（無意識に潜在）している。しかし、これは人間が社会を形成しないと、潜在化したままで意識化することが出来ないものなのである。他人の存在がないと、意識化することが出来ない。他人の存在、他人との出会い（共感、感動）というのは非常に重要なことで、自分自身を知ることによって、自分に自信を持たせ行動を起こすことの力になる。**〝意識〟とは〝他人を通した自己一般〟のことである。**

このように社会を形成することで、「**国家**」、「**神**」、「**主観の客観性**」という重要で基本的な概念が作り出されてくる。「**意識**」というのは「**社会**」ということと同じである。

ここで、人間の主観がどうやって客観性を獲得できるのか？　という問題が出てくる。そして、それが果たして客観性なのであろうか？　という問題でもある。実はこれがヘーゲルが彼の「**精神現象学**」、**フィヒテが**「**全知識学の基礎**」で既に示したことである。我々の個々人の特殊な主観の基礎に、人間という存在を保証している万人共通な普遍的な主観が存在し、これが客観性を保証することになるのである。これは他人と共同すること、コミュニケーションすることで、徐々に意識化されてくるものである。「**現実的なものは理性的なもの、理性的なものは現実的なものである**」と彼の法哲学で言ったヘーゲルは、歴史として実現されたものの中には理性的な核が存在（潜在）していると言っている。歴史として実現したもの、現実の自己自身等、これらはまだ特殊な存在に覆われてはいるが、その底には普遍理性的な原理が通底しているはずである。理性的なものがなければ現実の存在として実現することが出来ないはずである。この存在にいたらしめるものが理性として人間に獲得されるものであり、この理性に従わなければ存在からはじかれる（つまり死、あるいは理性の強制とも言える）という意味であろう。

人間は観察主体として「**主観**」と呼ばれるが、この主観の中には特殊個人の主観、いわゆる主感的と呼ばれるものと、万人共通の普遍的主観（人間としての感覚）、いわゆる客観と呼ばれるものが共存している。この後者の客観性は、具体的な特殊個人の主観がなければ現実的に存在しない。主感的と呼ばれる特殊個人の主観の中にすでに客観性の要素が全てそろってはいるが、その客観性が意識化して浮き上がらせるには、他人と接触する経験が必要となってくる。そして、その客観性が社会という形で残されていく。したがって、この客観性は万人共通のものである。

そして、それは、しかしながら具体的個人の主感を回避することは出来ない。それは人間が全ての物事を観察する出発点であり、かつ終着点でもあるからである。これを人間の「**主観**」と呼んでいる。**カントの「物そのものは規定できない」**（これは量子力学での〝光そのものは規定出来ない〟というのと非常に共通なものが見られる）と言うのはこの人間「**主観**」を回避して物そのものが存在する、と言うことは不可能である、ということを言っている。したがって、ものは観察主観の視点によって、変化せざるを得ないと言っている。つまり、主観にとっての有用性によって見方が変化してくる。実際、自然科学のもののとらえ方は社会の進化に従って進化し、いつまで経っても終わることはなく、新しい発見は次々となされていく。

④ 産業革命以後の強く二面性を持つ思想家、マルクス、フッサール、ヴィットゲンシュタインと合理主義一元論者カッシーラー

産業革命というのはとても大きな変化であった。哲学そのものもその影響を受けていく。まずは、大きな影響力を持ったものに実存主義とマルクス主義の二つの潮流がある。自然科学の影響も非常に大きく、論理学的要素の非常に強いもの（ヴィットゲンシュタイン、ラッセル、カルナップ等）もそれなりの潮流を形成してきた。しかし、これらは皆本来の哲学である合理主義一元論の攪乱的要素になった考えで、それらの影響を取り除くと本来の哲学のなんたるかが理解出来るように思われる。そして、産業革命が始まって以後、本来の純粋な形での哲学者は、ほぼ皆無であったように思われる。個々でその判断の基準となる哲学者を近代に於けるスピノザとカントに取ることにする。

産業革命以後は、キエルケゴール、ニーチェ、サルトルなどに見られる実存主義者の大きな潮流とマルクス主義が前面に出て、純粋な合理主義はほぼ影を潜めた状況になった。これは歴史的状況の反映であるが、それに背を向けるか、政治的に解決しよ

うとすることによって実存主義とマルクス主義に分かれ、本来の哲学である合理主義がこの時代の力に引っ張られ二面性を見せる思想家が出現するようになった。それがマルクス、フッサール、ヴィットゲンシュタインである。あるいはマルクス主義と本来の哲学との二面性を持つエルンスト・ブロッホ、ルカーチ等がいる。啓蒙思想、合理主義の結果した産業革命にこぼれ落ちたもの、産業革命に反発したものなどが実存主義ですくい取られたと考えることも出来よう。特に現代でも、社会にこれからインテグレートされる過程での活力に満ちた若者が社会の規制にぶつかり、一部はこの規制を改変しようとし、一部は理解して既存のものを受け入れようとする過程で持つ不満を代弁するように思われ、それらは支持されるのである。

ちょうど産業革命が本格的に始まった時点で、その変化があまりにも急激であったため、以上の二つの潮流が脚光を浴びるようになって、本来の哲学である古典的合理主義が背景に引っ込んでしまったと考えるべきであろうか。

(a) マルクス

マルクスは、高度な社会現状分析を社会変革の意志の方向に解釈している。私は、この社会分析（哲学）と改革の意志（政治）は分けて考えるべきものではないかと考える。確かにやろうとしている行動に対して理論的基礎を与えることは、その行動を非常に強くするし、その時代の不公正な状況を改善しようとする意志は正当なものであり、その状況を起き上がり小坊師のように改善しようとする意志は、多くの知識人を魅了した理論であった。ただし、その時の経済状況にはその理論を現実的に受け入れる余裕がなかったのではないかと思われる。それ故、強権的抑圧が行われた。発展し始めた国ほどこの矛盾は大きかったように思われる。むしろ経済的に余裕の出来た現在のヨーロッパの国々が、資本主義に社会改革を取り入れていることによって、より適合しているように見える。マルクスの時代には、早急にこの矛盾を改善しなければならないような状況ではあったが、マルクスも言っているように、資本主義が成長した先に、この変革が不可避になると言う方が正しかったことになるとも考えることも出来る。そして、それが一時のスカンディナヴィア諸国と今の資本主義諸国の状況であるとも言える。彼の政治革命の理論と刻一刻変化する現実に合わせようとすることの間には、乖離があったように思われる。エリートの一党独裁や上からの計画経済の押しつけではなく、現実の労働者の現実に刻一刻合わせられる民主主義構造が必要であったのだろう（それには経済的余裕が必要であったろう）。そういう面で固定的、ドグマティックな理論は変化する現実には合わせることが難しい。また、経営者と目の前の生活にさえ苦労している労働者の貧富の大きな差を見て、個人がお金儲けをすることに道徳的な後ろめたさを感じたことが、各個人の経済活動の自由を押さえてしまったことが、資本活動の全員参加を出来なくさせてしまい、国家の経済を低迷させた。資本主義の初頭の矛盾を考えると無理もないことではあるが、結果的にはマルクス主義国の経済破綻を招いた事実がある。個人個人の生活を良くしようとするための金儲け、つまり生活への余裕への刺激が、その国の経済を成り立たせているという事実も、考えに入れるべきものであったことになる。

理論は状況の推移に沿って解釈していくものであるが、行動はその状況そのものであって、後に理論的に解釈される対象のものである。理論は常に状況を後追いするものであり、先に理論を組み立てて行動を方向付けするものではない。理論にはあくまでも先に未来を設定することは出来ない。行動と理論には本質的な違いがある。これはマルクスが未来を設定したことの中に、理論だけでは将来そのことによって起こるさまざまな現実を全て取り込めないことにその問題が存する。理論は現実よりも不可避的に貧しい。善意や不正を正そうとする意志は、似たような過去を利用して目前の現実に対処することによってしか、その思ったことを実現することが出来ない。これが政治と理論の違いとなる。ただ理論を現実に当てはめようとすると、失敗や失望も未来に待ち受けることになる。この意味でヘーゲルの合理主義は反動でも保守でもなく、哲学の性質そのものを語っている。また同時に、この意味でヘーゲルが時代を経るに従って重要視される理由がある。マルクスからヘーゲルへ戻ると言うことである。

(b) フッサール

フッサールは第一次世界大戦から第二次世界大戦にいたる自然科学が飛躍的に伸びた時期の哲学者である。そして、彼は自然科学の目覚ましい発展に魅了されたという重要な一点を除いて、一番本来の合理主義哲学に近い哲学者ではある（彼の数学、論理学、デカルトへの興味は本来の哲学から外れさせる作用をさせたようである）。自然科学（客観主義）の急速な発達は、観念論（主観主義）が（哲学的）合理主義的であることを逆に見えなくしてしまったようだ。対象が主観（人間）そのものである哲学に、直接に自然科学の主観の外に設定した対象の論理を持ち込もうとしていた。これは時代を考えると、当然と言えば当然である非常に興味ある適用ではある。「**厳密な学としての哲学**」はこの適用の例である。確かにスピノザは彼の言う幾何学的証明（自然科学的）によって彼の哲学を決定づけようとはしたし、カントも彼の観念論の決定的証明を様々な方向から証明付けを行っているが、外見的には自然科学的適用に、非常に類似はしている。そこで、自然科学的合理主義的理性と哲学的合理主義的理性の峻別がなされるべきだろう。二つの領域は合理主義の共通基盤に則りながら、対象が正反対なのでそのままでは繋がらないと言うべきで、量子論的壁と飛躍があるのである。

(c) ヴィットゲンシュタイン

ヴィットゲンシュタインは、厳密な論理学の方から哲学へと同様の接近を試みたように思われる。しかし、彼の場合、「トラクタートゥス（短試論）」や「ノート・ブック」などには興味深い哲学的叙述が見られる。つまり、論理学と哲学が並立していると言えよう。「**ノート・ブック**」には神は世界と自己の二つ（zwei Gottheiten）あると言っているが、まさに彼の（あまりにもまじめで厳密な）論理学的厳密な考え方によって、世界と自己が分立せざるを得ないことが象徴的に語られているように思われる。自然科学的な厳密性も、論理学の厳密性も、生命活動を外に占めだしてしまっては哲学とはならなくなる。

(d) ヤスパース

ヤスパースはニーチェ、キエルケゴールの実存哲学に共感を持ちながらも、哲学は理性を柱にした合理主義であること、それは自然科学とも宗教とも異なる位置に立っていることと、時代の傾向とは違って本来あるべき哲学を主張していることが興味深い。ヤスパースはフッサールの生徒であったが、その現象学的方法には共感を持ったようではあるが、フッサールの「**厳密な学としての哲学**」は正しくも**哲学に自然科学的方法を適用している**として批判している。また、**理性は個人的な専有物ではなく、二人の人間（の存在と対話）から始まる**としているが、これは間主観性と共通の内容を持っていると言える。そして、**哲学は統一の意思**であるとする。これは理性による一元論的合理主義の主張と合致する。また啓示宗教、つまり信仰の宗教と哲学とはその理性による追求とは相容れないと主張している。したがって、ヤスパースは実存主義という時代の潮流に乗りながら、本来の古典的哲学の主要原理を見分けている二面性を持った哲学者であると言える。

以上のごとく、実存主義と共に、産業革命の大変革の荒波を合理主義哲学も受け、哲学が変質したと見れば、もう一度スピノザ、カント、ヘーゲルまでの時代（あるいはギリシャ、ルネッサンスの時代）の哲学に戻って考え直すことで、現代の哲学の閉塞から脱出出来るのではないかと思われる。ポスト・モダンなど新しい哲学は、サルトルの伝統を継いでいると以後の各思想家は言っているし、フランス独特の反骨精神から、今まで取り上げられなかった少数派の意見を採り上げたが、一方、それが故に脱政治的、反現実政治的、つまり反合理主義的になっているように思われる。合理主義や現実政治を多数派のものであるとし、被害を受けた少数派の元凶であるように見なしたところに、マルクスが批判した社会状況もいまだ残っていたこともあって、脱構築、反政治的傾向を持ったのではなかろうか。日本にも戦後この流れは70年くらいまであった。

(e) 実存主義者

また、キエルケゴール、ニーチェ、ハイデッガー、サルトルあるいはポスト・モダンの人達の政治的態度と**スピノザ**、**カント**、**フィヒテ**、**ヘーゲル**、**ゲーテ**などの基本的な政治的態度に違いがあるように見える。前者は現実的政治を批判し距離を置いているように見えるが、後者は現実的政治の中にいると言ってもよいであろう。これは哲学体系を組み立てるのに大きな違いをもたらすものである。前者は体系に無関心か、積極的に否定的である。キエルケゴールは自己の肉体的ハンディーを強く意識し、婚約者（レギーネ・オルセン）との破談などが背景の大きなテーマとなり、シェリングの受講生でありながら強く反ヘーゲル的である。ニーチェは将来を大いに嘱望された優秀な研究者であったが、先天性の病気に将来の希望を阻まれてしまった。ハイデッガーは本来非政治的な人間であるが、それが故に、返って時代の波に大きくさらわれることによってナチ党員になり、ユダヤ人のノーベル賞受賞者をフライブルク大学学長であった時に追い出したり、恩師であるユダヤ人哲学者のフッサールに対して釈然としない態度を示したりしている。これらは皆明確な政治的関心を持っていないことによるのではなかろうか？　サルトルは学生時代には、仲間のニザンやレヴィ・ストロースなどに比べ、政治には反抗的な特徴を示したが、後期になって、やはり反抗的な意味合いでマルクス主義に興味を持ち出し、過激なぐらいの反体制派（反ドゴール）になっていく。この後期の態度でさえ、表現の自由と言う面では意味があるものの、現実政治の関心と言うよりも、現実離れしたロマンティシズムのように思える（文学と政治が無理矢理共存しているとも言えるであろう）。まずは自由を求める若い人や学生に人気は出ても、現実政治との接点がないように思われる。また、ポスト・モダンには、このサルトルの継承者を自認する人達が多いのも偶然ではないであろう。

これに対し、スピノザや観念論者達には、現実的な進歩主義者が多いように思える。大きな改革も現実主義者でないと出来ないであろう。スピノザは王党派に対しヤン・デ・ウィットの民主主義勢力を支持したし、国際連合を提唱したカント、やや情熱的にすぎるフィヒテもいるが、スピノザと共に注目すべきはヘーゲルの例の「現実的なものは理性的」であるという発言である。哲学にとって考える基礎であり出発点、到達点として非常に重要で非常に深い発言である。

5 体系＝一元論＝理性＝人間主観＝社会＝（神概念）

主体系の中に何らかの繋がりのある従体系は存在するし、兄弟的な体系は存在するが、それら全ては主体系の中の一部をなすものである。従って、〝体系〟と言った時には、言語同様〝一元論〟をも示すものである。ちなみにスピノザは、実体は一つしかないと言う、神というものは一つで、多神教における各神が依存関係にあれば、それは神の全能に反すると言って、多神教を否定している。多神教は分業によって一つのシステムを形成していて、一神教が潜在していることになる。

言語と言うと抽象的な概念であるが、具体的には国によってさまざまな言葉はあるが、お互い同士翻訳可能であり、他の言語の習得は可能である。これは言語の背景にある人間存在が共通で一元的なものであるからである。一語一語を対応させることが出来なくても絶対に他言語に訳せないものなどは存在しない。それは基礎にある人間性が普遍的であるからである。一時的に理解不可能なことは存在するが、究極的には全てが理解出来ることが想定されている。とは言っても具体的には完全に理解することは、各自が各々の状況を生きている以上、究極的には不可能ではあるが、相互の完全理解（決定論）の〝**想定**〟には変化はない。失望にうちひしがれない限り（ペシミスム）、皆直感的にこれを理解しているはずである。この想定は人間が行動するときの生命原理である。その意味で「決して他人を理解することは出来ない」と言うのは究極的には、そして厳密な意味に於いては正しいが、この（一元論的理解の）想定を否定し、つまり生命現実を否定しているところに間違いがある。

そして、この一元論的体系は理性以外のものによって組み立てられるのではない。すなわち一元論的体系である言語によって組み立てられている。言語の上級体系が理性だと言える。この一元論的体系は、また自然科学の体系を形成し哲学の体系をも形成する。したがって、哲学の体系は一元的であり、どの哲学者も同じ体系の上に立っていることになる。

この理性の一元論的体系は、不可避的な観察体である人間主観に基礎を置くことになる。主観が一元的体系をなし、それをその主観に（全く）共通である他の主観の励起により意識化される。そして、社会がその人間主観の意識体となる。ヘーゲルでは、社会に関しては機能的に分類して家族、市民社会と国家と言う三段階になっているが、ここでは三者とも社会と言う概念でくくれるものとする。

⑥ 特殊具体的個人、歴史、社会、国家の特殊性と普遍理性

普遍は特殊具体の生命力の中にしか存在出来ないのであるが、純粋な普遍は生きた形（意識の中）では潜在でしかない。なぜなら純粋普遍と現実存在は矛盾するように見えるからである。現実存在は生命力であり力であり、偏見であり、不完全性だからである。しかし、現実存在を存在させているのは普遍の原理である。

この矛盾はどのようにして解決されるのかである。哲学での一番最小で不可避の原理は自己であり主観である特殊具体的個人である。これが意識化され客観化された究極には決定論的世界である「**神**」が想定されるわけである。「**神**」が想定されると言うことは、全てが普遍と言う要素で組み立てられているはずである。ただし、各種具

体個人によってその強調点が異なっていて生命力、運動力を生み出していると考える。各個人に於いて、この強調点の違い（性格や運命、出生の条件などと言えよう。）が親和や反発を生み出しさまざまな組み合わせ、終局的には**社会構造**を生み出すと考えられる。親和力だけで反発力がなければ、構造性を持った社会は成立しない。つまり、生は不可避的に矛盾の中に成立している。また、社会構造は生命力、運動力の結果であると考えられる。このように特殊（具体）と普遍（概念）がどのように連動しているかを解くことが、ヘーゲルの理性（概念）と現実（具体）の密接な関係を説明することが出来る。

スピノザは、神と言う概念は超越的に存在するのでなく、全てに内在し、自然そのものであると言う。このような神概念は主観が中心である観念論でしか成立しない。したがってスピノザの神内在論は観念論で解決出来るものである。神内在論＝観念論となる。

(a)　概念としての人間と国家、現実としての個人と国家

現実としての個人や国家を数多く比較することで、概念としての人間や国家が形成される。したがって、これらの概念は現実の中に何らかの形で存在していることにな

るが、しかしながら、現実と概念には、現実的表現形態と、その理想形態としての、大きな食い違いがある。そして、前者は現実の歴史を作り、その理想型とのずれから常に強い好奇心や批判の対象となる。ヘーゲルの有名な「現実的なものは理性的であり、理性的なものは現実的である」という言葉はこの連関を理解しない限り、誤解をしてしまうことになる。政治に於いてすったもんだしながら、一つの現実が形成されていく。また、歴史には、そうなってしまった現実的な理由（ドイツに於けるナチスの出現等）はあるのだが、とうていうなずけないようなことが起こったりするのも、皆この二重構造によるものである。それらが理性的であるとは、通常はとても考えにくい。しかしながら、こういう理由があって、こうなったと考えることは出来る。現実に生きると言うことには、矛盾を常に修正しようという活動源がないと成立しない。完全ならば活動する必要も従って生きる必要もないからである。社会を困らす犯罪人にも、その犯罪に至らしめる原因があり、これを否定することは出来ない。したがって、犯罪をゼロにすることは出来ない。これが生きた人間や歴史の原罪的な性格なのであり原理であり、それを避けることは出来ない。この生きることの原罪的な性格を納得しないと、完全な正義（それは概念として存在する。）を求めて、人間存在の完全な抹消という、より大きな悪を引き入れてしまうことになる。概念は原動力にはなっても、現実そのものにはなれない。究極的な道徳を説くキリスト（概念）が同じユダヤ人に社会を乱す者として糾弾され、最終的には処刑（現実）されてしまうのも、この普遍的矛盾を描いているために、あのような一大宗教の出発点（重要なメルクマール）になり得たのである。これまでの歴史でも、あらゆる犠牲の物語は政治運動の重要な転換点ともなってきた。無意識に生きて最後ギロチンによって殺されたマリー・アントワネットもキリストとは反対の極の悲劇的主人公で語り継がれているのである。

また、現実に於けるさまざまな行動や現に成立した歴史などは欠陥だらけに見える。これは概念と現実にずれがあるからであるが、その現実に置かれた人間にとっては、その条件下ではそれ以外の解決方法がなかったのであり、それが必然であったのである。その必然性を理解するのが理性であり、これがヘーゲルの言う理性でもある。この理性は概念と現実の間の食い違いがなければ成立しないのである。このことを理解していないとヘーゲルが体制派であると誤解してしまうであろう。ヘーゲルはここでは政治的主張をしているのではなく、哲学的概念を描いているのである。

7 「現実的なものは理性的であり、理性的なものは現実的である」ヘーゲル

理性の形成は言葉の形成と同時で、人と人の出会いから始まる。人と人との出会いが始まるのは人の外の現実と、更に大勢の人達と出会う時に始まる。人が大勢いればそれだけ多様な状況があり、それだけ多様な情報がある。いわゆる人皆違うと言うのは、物理的に同じ場所を占有出来ない人々の状況の違いである。人口が稠密になる都市などで、迷信や信仰が消えていくのも、メディアなどによる大量な情報交換と、それによる組織整備によるものと考えることが出来る。

しかしながら、おのおのの人と言う生物学的存在の同一性に関しては全く差がない。女と男、大人と子供、社会的階級の違いなどは状況の違いであって、それらは人間と言う概念の外に位置するものではなく、それらはいわゆる人間と言う概念の下位概念である。病気になろうが、交通事故や戦争で体の一部を失おうが、人間と言う概念をはみ出すものではない。死以外ではこの人間と言う概念の外に出ることは決してない。

(a) 観念論の合理主義哲学としての正当化、哲学が主観をその中心に置くことは科学的（客観的）である

この人間と言う統一概念が外の現実に向かうことで、各人間のさまざまに異なった観察を通して得られた情報を、理性と言う統一されたシステム体系の下に秩序立てて並べられる。つまり、言語と理性と言うのは観察主体である人間主観の精神的かつ生理的構造体系でもあり、人間としての生理的肉体と言う一体系に基礎づけられている。この人間と言う構造体系に観察された人間の外の世界（世界観、自然観）も、前者の構造に従って、やはり当然一つの体系を形成する。観察された外の世界と言うのは自然のことであるが、これが一つの体系をなしていない限り、人間には理解することが出来ない。**〝理解する〟と言うことは〝全てを自分（主観）に引き寄せる〟と言うこと**なので、一繋がりでなければ意味をなさないし、理性によって筋道をたどることが出来ない。また一繋がりと言うことが意味を形成していて、繋がりがなければ意味をなさない。観察主体が一つの体系をなしていれば、当然観察対象である世界も一つの体系をなさざるを得ない。これは観察対象である自然が、一つの体系をなしているからだ、とも言えようが、観察主体がなければ観察対象がないことから考えると、観察主体の方に優先権があることになる。つまり、観察主体の一体系性が、観察対象であ

る自然に投影されていると言うことになるであろう。観察主体が人間の外の世界である自然に依存していることを考えると、自然も人間主観も同時に一体系性をなしている、という結論にはなるが、観察主体であることの優先性は剥奪不可能である。したがって、観察主体の変化（つまり社会の拡大）による自然像の変化は避けることが出来ないと言うことになり、いわゆる自然科学に於ける、人間から独立超越した完全に客観的な自然の一体像と言うのは、仮定以外では存在することが出来ない。同時にそれは、いわゆる**カントの「物そのものは規定出来ない」**と言うことの意味であろう。人間自我が自然に属し、その観察対象である自然も当然自然であるので、自我と自然はまとまった一体系をなしているはずである。そして、そうすると、その自然の観察拠点が、自分の自我であろうと、その他の自我であろうと、その描かれた体系が異なることは、本来はないはずである。そこには同等性こそあれ、何の差異もない筈である。そして人間は、その自我を取り外すことは出来ない。しかしながら、その不可避性故に、論理的にも実質的にも、その自我から、あらゆる有益な道具が引き出されるはずである。この自我に、あらゆる直感が根ざしているし、自我があらゆる理性の根拠をなしている。どんな迂回路を回ろうとも、人間は自分の納得しないことを避けようとする。プロタゴラスの「自分自身を知れ」と言うのは全ての解決方法が自分の中から引き出せることを示している。大きな自然の中で小さな自然である一個の自我が他の多数の自我から言葉を得て客観性を得る。

以上のような理性の体系を顕在化するには、現実の観察の中からしか生まれない。この現実と言う観察対象の世界は、自然科学のような場合には、何ら問題は起こっては来ないが、一旦人間同士の政治や歴史となるといろいろと問題となる。共通性、普遍性をその基礎に想定される主観同士が、その個々の特殊性を表現しながら、基底にある共通性で一つにまとまりながらも関係が流動していくからである。その動き、つまり歴史の中で表現されるものも、普遍が通底しながらも時代の特殊性が表現されるからである。理性はこれらの特殊性を通して普遍性を引き出すのである。「**現実的なものが理性的**」と言うときに、特殊だけを取り上げて理性的だと言うと、その時代は正しいと言うことになり普遍でなく偏ったものに肩入れしてしまうことになる。したがって「**現実的なものが理性的**」と言うと反動的となってしまうのである。

それにもかかわらずこの言葉が引っかかり続けるのは、より深い意味があると考えざるを得ない。それが表現された特殊性にもかかわらず普遍性がその中に隠されていると言う意味である。西田幾多郎はこの言葉の重要性を強調している一人である。個々人の人間が英雄であろうが天才であろうが大犯罪人であろうが、そこに表現された特殊個別の行動の中には、人間の普遍性が隠れている。どの人間もこれらの行動の全ての条件を集めれば、誰でも天才であろうが大犯罪人であろうが、それになる可能性は全ての人間が持っていることを示している。極端な行動にいたる人間は、総体的に少ないが、ネガティヴに向かえば、考えられない非人間的行動（ナチス政権）とか、反対にポジティヴに向かえば超人的行動とか言われる。しかし、それらには同時に大いに好奇心もそそられるのである。もし、それが人間を超えた行動ならば、それらの人には興味を持たないはずである。皆直感的には（潜在的には）これも人間の行動の一部であることに気付いているのである。自分に関係づけなければ嫌悪も羨望も持たない。これは人間は直感的に、そして知らず知らずに、皆共通であることを知っている証拠でもある。日常的に違いを感じながらも、その共通性は日々感じているのである。言葉にせずとも、体系化せずとも、感じていることの集成が〝直感〟と呼ばれる。経験に基づいた直感は、したがって非合理的なものではなくなる。しかし、体系化していないと、ただ思いついたものを直感とすると、これが根も葉もない非合理的なものとなる可能性がある。経験に基づいたものは必ず体系化出来る。体系化とは理性体系に一元化すると言うことであり、自己に係り合わせると言うことであり、伝達可能な言語にすると言うことである。この点は混同すべきでない重要点であろう。直

感は体系化への引き金である。体系化することでその直感を共有することが出来る。共有出来ないものは非合理的である。従って非合理とは共有不可能なことを言う。

以上の〝**直感**〟と〝**共有**〟と言う現象の中には皆人間に共通にある人間としての普遍性、したがって各人の〝主観〟の普遍性がその基礎にあり、この主観の普遍性が、さまざまに異なる現実具体的な個人や歴史的行程に対しての〝**理想像**〟なるものを提供する。常に具体が、理想からずれていることを確認している。これが旧約聖書の〝創世記〟で言われる〝**原罪**〟の原理であり歴史の原動力でもある。「**静**」に対する「**動**」の原理であり弁証法でもある。そして、完全性（静）を目指す理性が、不完全に見える現実（動）からしか引き出せない理由もここにある。この理性を映し出す普遍的主観が、ドイツ観念論で前面に押し出されてきた〝**主観**〟である。哲学の合理主義が自然科学の合理主義と異なる最大の違いである。この主観を無視しては哲学は語り得ない。19世紀後半から自然科学の急速な発展から自然科学的あるいは数学的立場から哲学にアプローチしようとした哲学が多々あったが、それは実は不可能であったことが、この点から分かる。そして、主観をその中心に据えても、それは何ら非合理的なことではなく、まさにそれが合理的な道であることを示している。ドイツ観念論が成立して、すぐ直後に産業革命があり社会の急速な変化と自然科学の急速な発達があったことが、実に奇妙なことに合理主義哲学の現代にいたるまでの背景への後退に繋がっている。マルクス、エンゲルスがフォイエルバッハを最後の哲学者と言ったが、まさに産業革命の落とし子と言われる彼らがこのような発言をしていることは驚くべきことである（また彼らには自分たちの政治的主張の方向性とは必ずしも一致しないながらも、強烈な深い真実を表現する発言が、しばしば見られるのには実に驚くべきことのように思われる。ヘーゲルの初めての全集を編集したシュルツェのマルクスに対する印象によると「マルクスは強烈な論理力を持つと同時に非常に傲慢であった」とあるが、この印象の中にマルクスを理解する現実的に重要な鍵があるように思われる）。ある面で強引なところがあったと見るべきか？　個人の性格と思想には相関性があるのだろう。

ヘーゲルはまたよく知られているように新聞をよく読み、時事問題に非常に関心があった。これも現実から哲学理性を引き出していく行為であると言えよう。しかし、時事問題そのものと哲学理性が異なっていることも彼に於いて観察することが出来る。現実と普遍の間に質的な違いがある以上、彼の法哲学に於いて現実的な提案をする時と、普遍的哲学的なマキシムを引き出すことに違いがあることを混同すべきではないであろう。「**現実的なものは理性的である**」と言うのは**哲学理性であって政治的な**

テーゼとは異なる。このマキシムの適用はその時代によって異なる現実的解答をもたらすのである。具体的で偏った現実から普遍的な内容を引き出しているのであるから、その反対はつまり普遍から具体はその時代によってさまざまに異なるにもかかわらず、その時代の解答はほぼ一本、その時代の現実に適用可能なたった一つの解決法に絞られていくようなものである。なぜなら現実と言う場面は複数存在するのでなく、ある時点、ある条件に於いてはたった一つであるからである。ある時点を通過する現実はたった一つであること（ここに、ヘーゲルの言う〝理性の狡知〟がある）。現実の〝**可能性**〟の中でのたった一つの解答なのであるから、その可能性を超える理想的な解答は考えられても、実現が全く不可能なのである。つまり、その〝**単に**〟人間の考えたことが完全に現実を考え尽くしたことにはなっていないのである。〝**ユートピア**〟と言うのは考えたことの中の希望ではあるが、〝現実的ではない〟、〝実行不可能である〟と言う意味を含んでいる。実行不可能なものは、歴史には残っていない。歴史に於いては、現実の不完全性が理性の完全性を隠している。

現実には、人間の目から見ると、各人の視点が異なることによって、さまざまな可能性があるようには見えるが、現実にその場面に出てくる人も、その人のチョイスも決められていて、実はもはや複数の可能性など存在する余地などはない。現実と普遍の乖離は現実の行動、現実の政治と、普遍を扱う哲学の性質の差を見せているが、それでも両者は密接な繋がりがある。密接な繋がりがなければ、実際の行動の現実性も保証出来なければ、哲学抽象の具体的普遍性もない。そして、行動する時には、一旦完全性の思考は停止し現実に投企し現実からの解答を待つことになり、完全性を考えようとすると、行動を停止せざるを得ない。議会では全員一致はなく多数決で行動に移されるのも、この構造が原因になっている。

哲学と自然科学が二つの異なった理性の使い方であるように、（静止的で観察的である）哲学と（行動的である）政治もその行動形態を全く異にする双方を同時に把握し続けることは出来ない。極端な言い方をすれば「**考えながら行動することも、行動しながら考えることも出来ない**」と言うのと同じである。もし、両方出来るとすれば人間の行動自体が必要なくなるであろう。常に完全な行動が出来るからで、そこには投企につきまとう不安がない。この完全な場面に人間は自らの内に潜在的に存在しながらも、自らは到達出来ない神を設定するのである。この神（理想型）と現実の乖離を常に修正しようと、人間は行動を起こそうとするのである。現実具体と言うアンバランスが動力となり、普遍抽象がその支点となって、現実具体の中にその理想型である普遍抽象が含まれていることが分かる。また、このことからも、具体的に異なる各人の主観、各人の自我の中に共通普遍の理想型である神が宿っていることも証明している。

このように、大きく見渡すこと、大きな普遍的概念に気付くことはさまざまにバラバラにある事象を一つのまとまった体系に包み込むことで、数多くの問題を理解し解く鍵を得ることになろう。体系が全て自己に収斂するとするならば、自己に関わる人間関係の問題は自己と他己を同等と見ることで、閉じこもった自己において見る視点とは異なった視点が得られるはずである。自己を最大限に社会化することで、完全な自己充足の状態を〝想定〟することが出来る。この想定が出来るだけでも、と言っても、それしか出来ないのではあるが、人生に於ける安心感も違ってくるであろう。自分の一生だけでも全てが完結していると言う感覚である。他人を羨むことも、落胆することもない。

(b) 基準哲学者としてのスピノザとヘーゲル（あるいはプロティノスとマイスター・エックハルト）

ヘーゲルはスピノザを基準哲学者として捉えた。ヘーゲルもそのような基準哲学者であると言えよう。一方は一元論を体系化し、他方はカント以来の観念論に一元論を導入して観念論を完成させた、と言うよりは哲学の中心部を体系化したと言えよう。そして、哲学の開かれた論点を豊富に我々に提供した。その大きな一つが「現実的なものは理性的」であり、この考えを基礎に法哲学は議論されているが、このテーゼそのものは議論展開や体系化はなされていない。非常に矛盾したような表現であり、誤解も招いてきたし、大きな驚きや、反面評価もされてきた。この意味で開かれた論点であるが、この論点を否定しては、以後の哲学的論理展開が出来ないような基礎的普遍的哲学論点である。したがってこれは、時流に端を発した政治的発言として捉えられるべきものではなく、普遍的な意味を持っている。しかし、このような普遍的論点がヘーゲルの全ての発言にあると考えるべきでもまたない。歴史哲学の本文や法哲学の一部などはそのようなものであろう。このような論点の選択は読者の側にあり、強く共感した発言（概念）にはそれなりの普遍的理由がある。そして、これらを優先的に選択していくことであろう。ルソーにも初期と後期で対照的な発言がされたのを見たであろう。それを全て普遍的な概念として抱え込む必要はないであろう。読者は一生涯のルソーと同一になることは出来ないが、一方、普遍的な発言の方は積極的に吸収するべきである。思想制作者も生身の人間であるのだから。即座に理解の出来ないものにはまずはかかわらず、深く共感出来るものから深めていくのが普遍的思想に係わる手段となろう。そうすると、批判は誤解によるものか、強い自己主張によるものであろうと思われる。これでは非生産的な面が強い。同じ基礎を持っているはずの人間同士が攻撃するのは医学に於ける「自己免疫疾患」のようなものである。

α：二元論について

二つの要素がある時には、この二つの間で基礎的な共通性が成り立たないと、二元性は成立しない。人間の目や手がその一番典型的なものである（ギリシャ語ではそれらを特別に〝双数〟と呼んでいる。夫婦もそうであることに気が付く）。通常は二人に立場の異なった人間が一つのものを観察して、その観察対象の立体性、つまり客観性が得られる。そして、その観察主体には、立場の差はあるものの完全な共通性（例えば、同じ目、同じ耳）がなければ成り立たない。対象の観察主体の一元性により理性コミュニケーション（言葉）の一元性が出てくる。観察主体の複数制により社会と言う一元性を描き構成するための基盤があることが了解されてくる。したがって、二元性は一元性への手段であって、目的として帰結してはこない。このように二元論と一元論は段階も本質も異なった概念であるので同じレヴェルに置くべきものではない。

二元論は活力、生命であり、人間としての原罪であり、不完全感である。それはコミュニケーションの基であり、作られつつある歴史である。しかし、この二元論を動かすためには一元論の視点が必要となってくる。この視点を読み取ることが「理性」であるが、それ故に人間達が行った不完全な行動の痕である事件、歴史の中から（そして、その中からしか）完全性の指標である「理性」が読み取れるのである。

β：スピノザ、カントとヘーゲル

一元論と二元論に関してはデカルト、カントとスピノザ、ヘーゲルに分かれたが、スピノザ、カントにはヘーゲルと対照的な共通性がある。前二者の自然科学的な証明手法と後者の典型的な哲学叙述法の違いがある。この意味で哲学の性質を考えてみるのも得るものがあるように思う。

スピノザの「エチカ」とカントの「純粋理性批判」は、哲学が専門の人よりも自然科学の人の方が入り安いようであるが、ヘーゲルの大半の作品は自然科学が専門の人達には、全く受け付けない傾向がある。ヘーゲル以後の自然科学者でヘーゲルのことを語る自然科学者は、私の知る限りいない。マッハにとってのカント（〝プロレゴメナ〟）、アインシュタインにとってのスピノザ、カント、ヒュームは有名である。スピノザに於いては「神」概念を、カントに於いては観念論を自然科学に於けるような決定的な形で証明しようとする意志が働いているように見える。純粋に哲学系の人達にとっては、自然科学に於けるような論理的連鎖があって、何かまだるっこしく感じられるかも知れない。これも結論を先に知っていたり直感的に理解している場合は別のようであろう。問題意識が共通であることが鍵となる。もっとも、これはあらゆることに言えることであるが、結論に対してあらゆる反論の可能性を述べて、少しでも相手を引き入れようとする手段なのであろう。

これに対しヘーゲルのほうは、常に主観の現象を語っている。常に自分自身のことを語っているのである。ヘーゲルはスピノザと同じ一元論であり（ヘーゲルは明確にこの点に関して述べてはいないが）、スピノザに大いに影響を受けたにもかかわらずスピノザをドグマティックでアコスミック（無宇宙論）と呼んでいる。二人の大きな違いを考えるならば、スピノザには未だ面と向かっての観念論が論理化していないからであろうと考え得る。ドグマティックと言うのは自然科学的に外から物事を見ているように見えるからで、無宇宙論と言うのは自我が形成する宇宙論がないから、つまり哲学の基礎となる自我を出発点に考えないからと考えることが出来得るのではないか？

哲学の手法は自分の自我（主観）と他の自我との共感の上に客観性が成り立っている。つまり自我の共通普遍の基盤を確認すること。自我と言うのは外から見ると非常に複雑な構成体ではあるが、二つの自我が共振することによって、その複雑性は一挙に乗り越えられ問題とはならなくなる（それ故、神の概念やプロティノスの一者が単純の極致と言われるのである）。この共通自我が哲学に於ける客観性、合理主義一元論の基礎である。この点で自然科学の叙述とはだいぶ異なっている。その客観性の基礎は人間の共通な生理的、精神的構造であり、究極的には万人共通である。同時に唯物、唯心論であるが、人間を外から見たものとして語ることはない。なぜなら主観が語るからである。主観の共通性がコミュニケーション・ヴァリューであり客観性となる。どんなに複雑なもの同士であっても、構造が全く共通であったとすれば、共感するるのに、その複雑性を一挙に乗り越え、問題になることはないと言う利点がある（それ故、特に古代の哲学者などは、これを神秘的啓示や悟りなどと名付けたのであろう。これを神秘主義的にとってはならないであろう）。したがって、これは人間全体を包み込む。しかしながら、この共通性に人間は完全には理解が行くことはない。そこで決断の時には決断が揺れたり多数決で決定せざるを得ない。

γ：ヘーゲルに於けるフランス革命影響支配下における「自由」の概念

「自由」の概念は「神」概念と同様にスピノザによって完結していると私は考える。ヘーゲルの、主体の中に客体を取り込む弁証法の中に取り込まれている。客体を主体の中に取り込むことで、主体の外にあって主体の自由を制限すると思われる客体が、主体が消化出来、主体を制限しない客体となり、主体の自由が現実化出来るわけである。この意味で、「自由」概念ではスピノザの体系と何ら矛盾はなく、より説明的に取り込まれていると考えるわけであるが、このヘーゲルの自由概念（フランス革命影響は強いのではあるが）に関して、革命当初の喜びとその後の失望（ジャコヴァン政権の暴政）が完全に醒めてはいないのか、彼の体系への取り込みの説明と体系化がなされていないので、この点に関し自由がないと誤解されているスピノザとヘーゲルが対極にあるように誤解されてしまう。実はヘーゲルの精神現象論が精神の構造論ではあるが、それはまた自由論そのものの体系化でもあることは明言されてはいないので、この点は受け取る側の判断に任されることになるのではあるが、一元論を目指す観点から、あるいは哲学の対象そのものに違いがあるべきでないと言う観点からも、両哲学者には矛盾がないと考えられる。

自由は行動してみないと分からない法や道徳の必然性を認識して、初めて自由を求めることに依る拘束性から開放されて、自由になると言う一面がある一方（これはスピノザの決定論から帰結されるものである）、他面、社会の変化に伴って社会を修正、変化させていく原動力になるわけである。この後者の場合も社会の現実認識がより現実的でないと単に反社会的なものになってしまう。

第3章

無進化論

合理主義の大きな原則に一元論、観念論、間主観性による客観性の獲得などがあることを述べてきたが、他にもいくらか発見出来るものと思われるが、最後に、時代のさまざまな変化にもかかわらず不変化である人間性を考えると〝**無進化論**〟と言うものも引き出せるように思われる。普遍的人間性があらゆるものの尺度になり、究極的には自分の自我がその尺度となり世界、自然の全てがこの自我の中に存在する可能性を実感することになる。

人間の本質はどの時代どの状況にいようと同じであることは述べた。哲学や文学はこの本質を扱うので、自然科学にあるような進化はない。人間を対象に記述されている以上、どの時代のもの、どの国のものも同じ価値で読むことが出来る。異なった人間の状況における異なった人間の行動は、どんな状況でも人間の本質は同じであるとの確信の下に、解釈し直すことが出来る。ただ、表面的には当初は神話的言語（メタファーや例え話）が多かったものが、時代を下るに従って、現実的な言語に変化していくと言う事実はある。

こうして、どんな人間の行動も理解することが出来るようになるはずである、と同時に人間の本質に対する確信が強まっていく。ある行動が理解出来ない時は、とことんまで同じ本質を見いだそうとすべきである。人間の普遍の本質を見ようとすることによって、同時にその時代、その場所の状況の差が浮き上がってくるはずである。この普遍性の確信は理性や合理主義あるいは決定論の確信と同じものである。同じ人間と言う種の下にありながら、全く違う人間は存在しないのである。もしそうならば、それは人間と言う定義には当てはまらない矛盾であろう。この共通の人間性が人間の事象に関する客観性を確保し、コミュニケーションを作り出す。外見違っていると思われる相手が、自分と共通であることを常に探っている。

この人間の普遍性が進化しないものならば、〝**進化の概念**〟は表面的なことで言われていることになる。**ダーウィンの「進化論」**が出来たのは産業革命のまっ最中である。産業革命が成立したのは、今まであまり接触なく分立していた中小の社会が増殖によって、しだいに関係性が濃密になり始め戦争等離合集散を繰り返し、これは総体的な社会が大きくなり始めたことによるのではないかと考えられる。

私は〝**ポスト・モダン**〟という言葉を聞くと奇妙な感じに陥る。あたかも思想に進化がもたらされるような感覚である。これではギリシャ時代の文化もルネッサンスの文化も遅れたものとして相手にすることはないであろう。絵画や音楽に進化があるのだろうか？　哲学や文学にも進化はあるのだろうか？　神話的な表現が徐々に現実的な表現に変わっていっただけである。現代絵画は具象性の中に人間そのものである抽象性により焦点を当てていったように見える。

過去の歴史を見てみると、常に社会は良くなっているように見える。過去にはこんな残酷なことが行われていた、昔の生活はこんなに苦しかった、とか……しかし、これは社会の繋がりの拡大により経済が向上し、そのおかげで経済の分配がより公平にいくように社会組織が民主化したおかげである。さまざまな犯罪事件や極端な例を見ると過去の残酷な事件と何ら変わらないことが起こっていることに気が付く。人間は時代にかかわらず、いつでもこのような陥穽に落ち込む可能性を誰でもが持っていることになるのである。人間の本質には何ら変化は見られない。これは否定的なことばかりでなく、良いこと、秀でたことにも同じことが言えるのである。過去のことを、遅れたことと否定的に見るのではなく、同じ人間性、普遍的人間性の視点で見ていくと、より興味深く、自分のものとして過去を見る視点が出来てくる。歴史が興味深いのは、こういう視点に少なくとも潜在的に気が付いているからであるし、時代にかかわらず何か共通なものをそこに見ているからである。歴史は繰り返されると言うのも、この視点に気が付いたからでもある。アマゾンの奥地の、現代文明の影響が非常に少ないナンビクワラ族の生活が現代のストレスに満ちた生活よりもずっと幸福かもしれない等と考えに及ぶのもこれである（レヴィ・ストロース）。人間はその社会的、物質的状況の反映なのであるが、人間の本質は全く変わらずにあるのである。過去の歴史が特殊に見えたり、現代よりも何か遅れたものに見えたりするのは、単にその時代の情報がいまだ十分でないから、そのような偏見を持ってしまうのである。人種差別も同じような原理である。我々と全く同じ人間がその過去を生きていたのである。同じことを前提にして、その時代の人間、その時代が理解出来、最終的には自分と同じであることを理解出来てこそ、同時に自分自身も理解出来ることになる。理解と言うことは、全て自分と言う尺度を当てることによって行われる。言語自体も自分自身の部分を様々に割り当てていったものにすぎない。スピノザの心身並行論でもある。人間はさまざまの多数の個体に別れてはいるけれども、あらゆる個体がカエサルにもネロにもクレオパトラ（彼女が絶世の美女であると言うのは、起こった事実からの神話であり、彼女が刻印された貨幣にはそれ程な美女であるようには思えない。）にもなり得る可能性は秘めている。それが故に、人間はあらゆる人生に興味を引かれ、ある人生には恐怖をそそられ、ある人生には憧れを抱き、無関心ではいられない。

また、社会が拡大するにつれて政治体制も進化はしてきたが、例えば昔、王制であったものが民主主義になったと言うのが一番簡単な例かもしれない。しかし、民主主義は権力期間が限られた王制であるとも解釈することが出来る。民主主義的に選ばれた者の中に、たまには暴君的な者もいないとは限らない。そうなると一定程度の時期はこの暴政を甘受しなければならない、と言うことが起こるかもしれない。このようなことを考えると、そんなに大きく進歩したと考えるのは傲慢かもしれないし、昔との共通性や近さを確認することも出来るのではないであろうか？　このように考えると、何やら返って人間性の普遍性を感じさせてはくれるだろう。ヒットラー政権が生まれたのは、そんな昔のことではないし、かなり不人気な政権を味わって、やっかいごとを背負い込んでしまったことも、そんな昔のことではないであろう。たかだか二千年等と言うのでさえ、そんな大きなスパンではないような気さえしてくる。

歴史は螺旋的進化だと言う。同じ所を行きつ戻りつしながら変化していき似たようなことは起こるものの、全く同じことは二度とない。歴史は完全な幸福な社会には決して至り着かないし、完成と言うことはない。社会の拡大に合わせて変化しているだけなのだ。社会の中には右派も左派も常にいる。社会が右に旋回すると、やがて左へ揺り戻し、これを次々に繰り返しているだけのように見える。人間個人が不完全に思うように、社会も不完全なのであり、この不完全さが生きる動力になる。生とはそう言うものなのであろう。変化はしても不完全なものが常に同じ割合ならば、そこには、本質的な進化はないはずであろう。こういう歴史の構造のもとに、ある状況で極端なものが出現するときがある。フランス革命の後で今までの構造物が壊されると、ジャコバン党のように極端な暴政に走り、その後にナポレオンのようにまとめようとして求心力が働く、行きつ戻りつしながら新たな構造物が形成されていく。

ドイツは第一次世界大戦後、精神的にも物質的にも屈辱的な敗北を喫し、経済的に再建され比較的民主的なワイマール時代を経て、それらの反動やニューヨーク株の暴落などがあって、ごたごたを嫌って極端な求心力を回復しようとするナチ政権が成立する。

第4章

唯物論と観念論、スピノザとヘーゲル

人間は考え、分析をするためにいろいろと名前を付け分類する。その分類をした事象も、関連や繋がりが合ったものが、状況によって全く異なったカテゴリーの中に仕分けされることが良くある。それらが、よっぽど便利な時には、あまり内容を考えずに長い間使ったりする。こうなると、それらを使う時に実は大きな不具合が生じていることに困ってしまうこともある。

(a) スピノザ、唯物論者？ 観念論者？

ライプニッツやドイツ観念論者達は、明確な観念論を提示しているが、スピノザに関しては〝**エチカ**〟の**第二部**「**精神の性格とその起源**」には唯物論的定理と観念論的叙述が共存している。彼の有名な言葉に「**神＝自然**」と言うのがあるが、〝**神**〟と言うのは人間の精神によって、その全体を直感的に推測出来ても、実際には見渡すことの出来ない自然のシステムの総体、というように解釈出来るだろうし、〝**自然**〟というのはより目の前に見える自分を含み、繋がりという意味では、全て個人には繋がっているはずではあるが、一個人の知性では、意識的には、とうてい捉えきれるはずのない物質的な自然の総体であろう。この言葉は物質と精神には繋がりがあると言う意味である。そして、〝**エチカ**〟**第二部**、**定理7**には「**観念の秩序と結合はものの秩序**

および結合と同一である。」と言う有名な言葉があるが、これはしばしば彼の唯物論的思考を示すものとされるわけだが、これは必ずしも物質の優位性を主張しているわけではなく、少なくとも物質あるいは肉体と精神の同一性を示していて、それ以上のものではないことに注目すべきであろう。なぜ、こんなことを言うのかといえば、彼の主張では人間の精神で到達すべき〝神〟の優位性は明確であるからである。つまり、主観、精神優先の観念論が隠れているはずだからである。定理7以後の定理をつぶさに見ていくと、非常に興味深く、観念論の原理的な発言が並んでいることに気が付くことが出来る。**定理11、「人間精神の現実的有を構成する最初のものは、現実に存在するある個物の観念に他ならない。**」と一見唯物論的に見えるが、その〝証明〟には**「観念は人間精神の有を構成する最初のものである。**」とある。続いて、**定理12では「人間精神を構成する観念の対象の中に起こる全てのことは、人間精神によって知覚されなければならない。……もし人間精神を構成する観念の対象が身体であるなら、その身体の中には精神によって知覚されないようないかなることも起こりえない。**」精神の中に身体の全てが表現されていると同時に世界全体が反映されていると言う主張に解釈される。続いて、**定理13「人間精神を構成する観念の対象は身体である、あるいは現実に存在するある延長**（スコラの用語であるが、物質的存在と解して良いであろう。）**の様態（モード）である、そしてそれ以外の何物でもない。**」この延長が身体の外の物質を示すのかと思ってしまうが、その〝**証明**〟を読んでみると、単なる言い換えのようで、身体のことを〝**現実に存在する**〟と強調したまでのようである。そうすると、これは精神の唯物的起源を示すと同時に、世界の観念は、人間主観以外の外に示されることがない、と言う観念論をも示していることになる。物質や世界と言わずに肉体と言っていることに注目。しかし、中世では肉体を表す**corpus**は、意味深長なことに、同時に体と物質を指している。

また、この定理13の備考には、もう一つ興味深い叙述がある。つまり、この定理13の事実は、他の人間以外の種（動植物）にも当てはまり、程度の差こそはあるが、全ての種に当てはまるとのことである。これはライプニッツが、動物や草木にも精神がある、と言ったのと軌を一にしている。そしてこれらは精神を持っているが故に全て〝**神**〟（自然の全体の）のシェーマの中に取り込まれている。精神とは自然全体のシステムのことであり、これが人間によって理解されることで精神と呼ばれる。したがって、精神とは神のことであり、神とは精神のことである。神とは人間に内在する精神であり、人間社会の成立当初の宗教では、それに絶対的に適合させなければならない力として超越神とした。人間は自身、不完全と思っている人間そのものを信用することが出来ないからであり、人間個人の精神は絶対であるとは思えないからである。

定理16に於いて「**人間身体が外部の物体から刺激される各々の様式の観念は、人間身体の本性と同時に、外部の物体の本性を含まなければならない。**」まさにこれは**フィヒテやヘーゲルに於ける観念論である。**対象性、客観が主観の中に形成され含み**込まれるのである。そして、スピノザは系2の中で**「**我々が外部の物体について有する観念は外部の物体の本性よりも我々の身体の状態をより多く示す。**」とある。まさに観念に於ける主観の優位性である。

定理18、備考に「**この知性の観念の連結に於いては精神はその第一原因によって知覚する、そして、この知性の観念の連結は全ての人間に於いて同一なのである。**」この〝**第一原因**〟と言うものは神または自然の総体のシステムであるが、この神または自然の総体のシステムに関わる以上、精神は全ての人間に於いて共通であると言っている。ここに自然科学や合理主義哲学の客観性の地平が存している。いわゆる「**理性**」の世界である。この地平はいわゆる〝**相互（間）主観性**〟（**フッサール**）の地平を作り、哲学に於ける客観性を設定する最重要の基盤であり、外見に反して観念論が合理主義哲学あるいは一般的に哲学（あるいは歴史や政治）に於ける必要不可欠の原理となる。

定理27、系、「人間精神は、外部の物体を表象する限り、それの妥当な認識を有しない。」まさに**カントの〝もの自体〟**の発言に見える。観察主体の積極的な関わりがなければもの自体が生きてこないし、人間が利用することは出来ない。

続いて、**定理29、備考、**スピノザ曰く、「**内部から決定されて、すなわち多くのものを同時に観想することによって、ものの一致点・相違点・反対点を認識する場合にはそうではない。何故なら精神は常にものを明瞭判然と観想するからである。**」つまり、人間の精神内でのまとめる力が問題になり、これは人間外部の自然だけでは人間が使いうるような、まとまった力を発揮しないと言うことである。自然は人間なしにでも、その営みを遂行していくが、その営みを人間が利用しようとする時にこの力が必要となってくる。**定理35、**に「**誤るとか錯誤するとかは言われるものは精神であって身体等ではない。**」自然そのものの一部である身体は誤らないが精神が誤ると言っている。

誤謬は人間の存在にとっては危険であるが、自然にとっては人間が大きな誤謬を犯して人間存在に絶滅をもたらせば、自然が人間を吸収することになる。人間の方はその誤謬を修正しようと活動するわけである。必死に誤謬による自然からの乖離を修正しようとするわけである。これが人間の活動源であり社会を構成する原理でもある。大きな思想、深い思想は同様に大きな深い思想によって必ず継承される。共通な基盤で繋がれるからである。それは大きな共感の場であるからだ。

(b)本来のスピノザ継承者としてのヘーゲル、アインシュタイン（「実体は主体」）

ヘーゲルであるが、彼の哲学史にある有名な言葉、「全ての規定性は否定である」（彫像を作るときに鑿によって材料を切り出して［否定して］彫像を作り出す作業に似ている。）などスピノザの影響は大きいのではあるが、実はどこがどうであるのかに関しては、特に精神哲学に関しては彼自身の証言がない。スピノザの哲学が宗教や神に係わることが、その中心にあるので、スピノザより一世紀半も後の時代のドイツであるにもかかわらず、フランスやイギリスと同様に相変わらずスピノザ思想は危険思想であり、その中核思想を受け入れたことを見せることは危険であった。

この点、ヘーゲルは非常に慎重な人間であるように見える。彼のフランス人の友人であるヴィクトール・クーザンがドイツにヘーゲルを訪ねにやって来た時に、政治的疑いをかけられて官憲に拘束され拘禁されるが、彼を救い出すためにヘーゲルは刑務所を訪ねるという危険を冒している。この経験だけからも慎重さを学ぶ機会はあったのではないだろうか？

「精神現象学」の中で**ヘーゲルは「実体は主体である」（実体はスピノザにとって神なので、神は主体にあると言う神の内在性｛人間の精神の中に｝を意味していることになる。）**ということを言っているが、これがスピノザ一元論と観念論を繋ぐ大きなキーポイントになる。

第5章

合理主義一元論哲学史

一元論の主張に従えば、哲学は言語や自然科学のようにあらゆる種類の哲学を包摂するはずであるが、一元論体系（抽象）の描写を直接にするか、それから帰結される現象（外的、具体）をもっぱら描くかで、ここでは分類される。言葉で表現しコミュニケーションを目的とする以上、双方とも一元論体系の中に包摂されるが、哲学に於いてはその一元的体系を描くか、一元論は強圧的として、多様性の主張によって、それに反発するかで異なり、それは対象に向かう態度が反対である。それは冷静に体系描写をする合理主義と情念重視の実存主義の差でもある。スピノザの「国家論」（序文）に、哲学は、自由の概念が必然性の概念の中に繰り込まれて（必然性を認識することで）初めて自由の目標が実現するように、さまざまな情念（欲望）が理性の中に繰り込まれて、初めて平和な生活が成立する。まさにこれが体系描写の態度である。怒ったり泣いたりしているときは、相手を包み込もうとする意識からは遠い（スピノザ「国家論」序文）。つまり、全体の体系を見て全てを包み込もうという意図よりも、自分が巻き込まれたコミュニケーションの断絶を訴えているはずである。どちらの態度も人間の事実としてはあるが、体系そのものの描写を見ようとする場合は、必然性と理性の立場以外になくなる。この点で非常に重要な哲学者が、ヘーゲルがそのように言及したスピノザとヘーゲル自身であるように思われる。一元論が全ての態度（その体系性からは意識的に遠ざかる実存主義をも含めて）を包摂するとしても、特にこの二人をまず中心に置いて、その輪を拡げていく手法が一番効率的に思われる。そして、この二人を中心に置くことで見えてくる、もう一つの事実があるように思われる。それは産業革命以後の哲学に、ほぼこの二人に見られる体系が背景に退いてしまっている事実である。と同時に宗教と神の概念も、当然ながら力を徐々に失っている。哲学に於ける合理主義とその反対の概念である信仰が、共に背景に後退していくのである。反対に自然科学が一方的にその影響力を増すのである。あたかも自然科学に於ける合理主義で充分であり、哲学での合理主義はもはや存在しない。哲学そのものが消失してしまったように見えるのである。

以上の合理主義一元論の立場から考えて非常に重要な哲学者、あるいはこの立場を考えるのに非常に参考になる哲学者達を歴史的な順番で挙げていくと、必ずと言っていいほど彼らの生まれてきた背景に文化的経済的に目立った時代、地域が浮かんでくる。また、通常の文化史ではギリシャやルネッサンスが必ず取り上げられる時代であるが、以上の哲学者達を挙げていくと、別のさまざまな時代や地域がクローズアップされてくる。このことによって、経済的条件と政治的条件がより明確にクローズアップされてくる。例えば、3世紀以後のアレクサンドリア、12世紀のイスラム支配下のアンダルシア、16〜17世紀オランダ、17世紀のジュネーヴ（ライン川でオランダに繋がっているハンザ都市とも言える）、18世紀後半から20世紀初頭のドイツがあがる。一番直感的に理解される文化が食文化や音楽であるが、次に文学や絵画や科学、最後に哲学がやってくる。哲学の一般的イメージは、難しくて何に役に立つのか理解されにくい。それだけに社会経済的なインフラがなければ育たない。逆に、それだけ社会経済的な指標になるはずである。ギリシャ、ルネッサンス以外の文化的時代を指摘するのは、今まで強調してこなかったものを強調し、隠されたものの発見に導くことも出来るであろう。例えば、文化は異質なものが出会うことが大きな刺激になり、**民族離散〝ディアスポラ〟で消失した文化が**、追い出された民族が行き着いた所に異質なものが混じり合い新しい文化が生まれたりする（17世紀オランダ、18世紀ドイツ、キリスト教の成立、その他）。

経済的な余裕があり、文化の生産には出来るだけ自由な時代という要素がなければならない。そして、逆に貧困の経験や貧困から抜け出したハングリー精神みたいなものが極限状況の描写や物事を濃密にする作用があるであろう。

過去に於いて、経済的な理由もあって、強く中央集権的な政権（ナチズムや共産主義など）は、中央集権を乱すものとしての自由な文化を逃避させたり、文化に圧力をかけたりしたが、王制に関してはその王の支配体制によっていたので、必ずしも文化に悪い影響を与えていたとは言えない。ロシアのツァーの時代などでは豊かな文化があったのに、共産主義の成立以後、文化は呻吟してしまったと言う事実がある。産業革命と民主化と言う二つの大きな運動の離陸期は、人口の急速な増加を伴って経済的な潤滑油が広範囲に広がらなければならない時期であったために、文化自体も大きな変質を被むった時期ではないかと推測されるわけである。自然科学が大きな進歩をした時期であることは疑いないが、人文科学に於いては、この事態自身は悪いことではないが、多くの専門分野に分岐し全体を鳥瞰することが難しくなり、本来の哲学が難しくなった時期でもあるように思われる。「**一体哲学に何が出来るのか？**」と言うわけである。

　以上のように見ていくと「古い体制」、「新しい体制」と言うことにかかわらず文化生産に適した状態と言うのが見えてこないであろうか？　必ずしも後発体制が文化に好意的かどうかと言うことに疑問がわいてくる。そして、文化には自由がつきものとすれば、直線的な進化を信じるよりも、各時代をよく見ていく必要があるのではなかろうか？

また一人の人間、一つの社会、歴史の一コマ、など無限の許容量を持っているわけではないので、どうしても行きつ戻りつは避けることは出来ないと考えてみる必要がある。

歴史の見方は政治が中心になるわけだが、その歴史の生産物である文化の面から見てみると、必ずしも民主主義や王制と言う区別にこだわらずに、別の見方が出来る時がある。文化生産には自由と組織化が必要だとすれば、それが必ずしもクロノロジックに進化した政治体制が、文化生産にはより適しているとは必ずしも言えないこともある。歴史的繋がりの中に生きてきた我々にとっては、以前にあったものを改善してきたわけであるから、どうしても以前のものが遅れたというイメージを持ってしまうが、その時代の体制はその時代の必要性に沿って出来ている、と言う考え方も出来る。必ずしも進化しているわけではなく、その時代その時代に適合しているので、進化の感覚を一時棚上げにしてみることで違ったものが見えてくるであろう（先進国が後進国に自分たちのやり方を押しつけても、その内部事情に自国同様に精通しない限り〔そんなことは、究極的には不可能であるため〕、非常に稀にしかそれには成功しない）。また、逆にその歴史的変化の必然性も、よりよく見えてくる場合もあろう。19世紀ドイツは一時的に産業革命や政治改革に英仏に立ち後れる訳だが、文化的には古典音楽、哲学（19世紀前後）、科学（20世紀初頭）に於いては英仏をしのいでいる。このことや市民革命を経なかった（ロシア革命は経済的逆行をもたらしたとも言えるし、ドイツの場合、フリードリッヒ大王やビスマルクなどによって上からの変革をもたらされたとも言える）からと言って、英仏より遅れた国とは言い難い（経済的にはアメリカと肩を並べる時期も数年あった）。ギリシャ時代やルネッサンスが文化的に見るべきものがあるのは、小さな部分的な地域で部分的な階級が、文化的に生産的である条件が揃ったと見るべきで、これほどのことは近、現代に於いても、その結果を見れば、稀であると考えるべきである。

ところで合理主義一元論等と言うと、唯物論や自然科学的な響きを持ってしまうが、わざわざ合理主義と言うからには、伝統的にその反対の要素である神秘的で不可解と言われたものをも扱わなければ意味がない。以前に言及したドイツの理論物理学の進展、特に相対性理論、量子力学はこのようなものであるように思われる。また、現実ほど不可解なものはない。そして、それは理性、合理主義があるから不可解に思えるのである。

この一番身近な例では、円と直線の関係がある。理性はまず理性が理解するのに箇単な直線から始め、四角形、三角形や直線で囲まれたしだいに複雑なものに進んでいくが、遂には円の面積や円周を求めようとするとかなり困ったことになってしまう。円周率というのがあるが、これは永遠に割り切ることの出来ない数字である。これは人間理性が現実の対象を永遠に割り切ることの出来ないことを象徴的、というか正確には現実的に表していると言える。人間理性が構造的に永遠に追求を終焉出来ないこと、シジフォスの神話であることを示している。善悪の問題においては、人間社会は、その成長のために、ある程度の存在理由を持つ悪を一定程度野放しにせざるを得ない。古い時代に於いては宗教によって、現代では法律や道徳によって、この悪を抑制しようとする。この悪の猶予期間の間に、人間はこの悪を解決しようとして努力する。とは言っても、人間社会に限れば、悪も現実性を持っているので、完全消去は出来ない。これが人間の活動源であり〝アダムのリンゴ〟に表されている原罪の意味である。原罪とは生命力をも意味している。宗教での〝許し〟と言う考え方は、悪は不可避であるために、それを取り込もうという非常に合理的な考え方であることが理解される。

最後に従来哲学史には殆ど登場しないこの意味に沿って思想家を二人付け加えておこう。一人はアルベール・カミュで、彼の作品、特に「シジフォスの神話」と彼のアウグスチヌスとプロティノスに関する卒論、そしてイギリスのジェームス・アレン

（１８６４～１９１２）の全作品を挙げておきたい。

(a) ドイツ、啓蒙時代から第二次世界大戦前まで（１７００年代末～１９３３年頃まで）

ドイツは産業革命が第一次世界大戦までに追いつき追い越したりするのではあるが、イギリスより出だしは遅れたり、第二次世界大戦のナチスの出現もあったりして、この時期を文化的ルネッサンスであると言うのをはばかれる状況もあったが、この時期は文化的にはある面では、英仏を大きく凌駕した時期でもある。文化的には古典作品の翻訳が大々的に行われるルネッサンスに匹敵する状況であった。プラトン、プロティノスとプロクロスをヘーゲルの同僚であるクロイツァーがドイツ語に、またヘーゲルのフランス人の友人がこの後者をフランス語に翻訳し、ヘーゲル自身がパウルスによるスピノザ全集の編集に加わり、他にベーメなども出版されている。政治的にはフランス、イギリスに刺激を受けながら後追いをした形にはなった。

しかしながら、あれだけの古典音楽、哲学、ゲーテ、シラーの文学、理論物理の集中的な展開はフランスやイギリスには見られなかったと言って良いであろう。フランスは美術、文学、イタリアから導入された食文化など、よりラテン的な生活文化に特徴があり、イギリスは政治経済、海外発展により大きな特徴があるのではあるが。これらも地理的、地政学的条件の違いなのかもしれない。イギリスは島国で海運の必要性が高く、海外発展により多くの勢力を使い、ある意味では文化的にもローマ帝国に似た展開である。英語が貿易の公用語になった原因でもある。フランスは英独より南であり農業に適した広く平らな土地が拡がり、恐らくそれ故にだろう国家集約がすでにあり、労働集約の必要性がドイツより低かったのであろう。以上の面から考えると、ドイツでは、より強く産業革命の影響が文化面でも現れていると考えられる。フランス、ロシアのような大国に囲まれ内陸国に近いドイツは、イギリスのように海外発展に勢力を割く訳でもなく、大陸内での地位維持に国力を割かなければならない状況にあり、内向きで、フランスより北に位置し、農業国であるフランスのように生活をより安易に楽しめるわけでもない。このような状況では教養が大事な要素になってくる。何かユダヤ人の状況と似ているかもしれない。それだけにユダヤ人問題がクローズアップされる一つの要因だったのかもしれない。メッテルニッヒの反動政治（1815〜1848）の時代には、ビーダーマイヤーと言われる内向きの状況になる要素がドイツの生活にあるようである。これも内向きと考えられないでもない古典音楽では、あれだけ多くの作曲家を生み出したわけであるが、ピアノがフランスの何倍も家庭に広がり、それだけのインフラがあったことが分かる。また読書会と言うのも、個人主義の国フランスにはドイツほど見られない、よりドイツ独特の現象である。実際このような読書会でゲーテやハイネはスピノザ（ゲーテはラテン語で）を読んでいた。このような社会現象は文学に当然利したであろうが、より難解な哲学や科学により多くのインフラを提供したであろう事は想像には難くない。

この時代（１７００年代後半）はまずは啓蒙の時代であり、戦争への動因の必要性から農奴解放があり、農民の結婚の自由などにより、急速に人口が増え、文化社会活動の裾野が広がり、１８４８年の初めての議会が、まがりなりにもフランクフルトで開かれたこの時期は、同時に産業革命が急速に進む時期でもあった。この十九世紀中葉を分岐点にドイツ文化の専門分野の大きな変化がもたらされる。この前半部分では古典音楽、哲学、シュトルム・ウント・ドゥランクの文学であり、哲学では、カント、ヘーゲルによって合理主義の一つの到達点に達し、以後急速に哲学は、その内容を変化させていく。ヘーゲルの死後、ヘーゲルの生前の人気は、彼の著書が難解であるせいかその影響を継続することが出来ず、急速に衰え、第二次大戦後フランスで再度取り上げられるまで比較的大々的に注目されることはなかった一方、キエルケゴール、ニーチェに代表される実存主義が前面に出てくるわけだが、それは時代の社会的構造のこの大きな変化に支えられていると言えよう。と同時にこれまでの合理主義の流れは理論物理学に吸収されていく。エルンスト・マッハ、ボルツマン、アインシュタイン、シュレディンガー、デンマークのニールス・ボーア、あるいは日本の湯川秀樹など、いずれも偶然とは言えない哲学思想に造詣の深い理論物理学者が多数輩出していく。哲学の合理主義と理論物理は対象の方向性が全く異なるものの、その作業手法が共通ではあるが、ドイツでは合理主義哲学の隆盛、衰退の後に理論物理の隆盛を見たことは、同じ合理主義の基盤の上に、産業革命という大きな状況の変化のために、その対象が新たに広がった地平に向けられたと考えられる。つまり、自己、主観という普遍的対象から、主体の外の変化に向けられたと言える。と同時に観念論によって自己、主観というテーマを合理的に捉えられたことを、一般的に理解が広がる前に、合理主義の対象が外に向かってしまったために、何か主観や自己が非合理的なものであるようなとらえ方をされるようになってしまったことは、後に本来の哲学であるべき合理主義的哲学が顧みられなくなったり、論理実証主義などのように科学や論理学の方から哲学を理解しようとする新しい可能性には見えるが、実は中心問題である主観から遠ざかったり、合理主義的な考えに背を向けるような感情の問題を扱う実存主義が、本来の哲学であるかのような本末転倒を起こしてしまったように思われる。

もう一つ合理主義哲学が背景に追いやられた理由に、すでにヘーゲルに関して何度も言ってきたことであるが、体系描写、それも一元的体系を描くという行為が、現状維持の保守主義と誤解されてしまったことである。この時代は政治経済的にも大きな変革の時代であったためでもある。一元的にまとまることと、多元的な意見を拾い上げて民主化することが、一見すると相反するように見えるのである。この多元化は経済力の許すところまで進展するので、その結果である二つの大戦を経て政治的に落ち着くまで続くことになる。

以上のごとく、このドイツの時期をギリシャやルネッサンスと同等の文化興隆の時期と捉えることが出来る。

また、この前半期のドイツ観念論の時期は、他の英仏と異なってスピノザの哲学が哲学界に限らず文学界をも巻き込んで大々的に広がり、後の時代のマルクスやアインシュタインをも巻き込んだが、これは大陸から離れたイギリスそして宗教的には保守的であるカトリック国であるフランスでは見られなかった現象である。ドイツはルターの宗教改革の地であることも影響しているようだ。たとえ産業革命が遅れ、民主化が他の二国より遅れているように見えようとも、このような思想的現象は他の国には見られなかった。ローマ帝国が帝国拡大発展の時期は建築の技術などには見るものがあったが、文化的にはセネカやアプレイウスのような例外を別とすると、帝国の期間の長さや広大さに比較して、文化的には勢力が国家建設に割かれたのか、それほどでもなかった。この点、スペインやイギリス、あるいは現代のアメリカの海外発展の時期が、ややローマ帝国にも似ているようにも思われないこともない。アメリカは科学や大衆文化（双方共広がる力は強い）の面では大いに世界を席巻したが、より深いもので感動させる面では弱いと言わざるを得ない。その上これらの文化はもっぱら移民によってもたらされた。

最後にカントは東プロイセンのケーニッヒスベルク（現在ロシア領カリーニングラード）に生まれ生涯この町を離れなかったことは有名であるが、この町もヨーロッパの中心からだいぶ離れては見えるが、この地の重要な中継貿易で栄えたハンザ同盟の港町（東プロイセンの首都でもある）で、当時のこの町の人口はベルリンの二倍もあった。琥珀やマジパンを初めて作ったことでも有名であるが、商業的に栄えたことで大学や図書館、数多の知的組織が存在し高度に知的な町でもあった（この点アンダルシアに似ている）。ケーニッヒスベルクは17世紀オランダに匹敵するような商業都市であった。一人の哲学者の出現の比較的大きな土台として、常にこのようなしっかりとした経済繁栄があった。ヘルダーやフィヒテもカントの学生であった。一人の哲学者の背景を探ると常にこのような下部構造が見えてくる。

(b) 古代ギリシャ

紀元前4世紀はギリシャだけではなく中国に於いても**荘子**、**老子**、**孫子**がいた。中国では一応この三人を挙げておこう。紀元前五世紀は**メリッソス**、**ヘラクレイトス**、**アナクサゴラス**、**ディアゴラス**があがる。アナクサゴラスの**ヌース**はプロティノスの一者、スピノザの実体、ヘーゲルの絶対精神を思わせるものがある。ディアゴラスは通常の哲学史には資料が少ないせいかあまり登場してこない。彼は「神話は文字通りに解釈すべきではなく、その裏に呼応する現実が存在している」と主張して無神論者として追放された。どんな時代にもクールに合理主義的解釈をする人がいるものである。この割合はどの時代にも同じくらいなのかもしれない。

そして、紀元前四世紀にはプラトン（特に〝メノン〟、〝パイドロス〟、〝パルメニデス〟、〝クリトン〟の対話編が興味深い）とアリストテレス（〝魂について〟、〝形而上学〟、〝政治学〟）がいる。

この時代のアテナイの自由人は、多くの奴隷（実際には近代でのお手伝いさんのような者でもあったのかもしれないが、私には解らない。）に支えられていたものではあるが、だからと言って、その文化をも非難するのは、その時代のインフラの可能性を完全に理解しているわけでもない現代人の偏見に当たるのではないだろうか。非難をしながらその状況に置かれると同じことをするのでは、理解がなかったことを暴露する以外のものではない。

「始めに言葉（理性、ロゴス）ありき」などヨハネ伝など新約聖書に大きな影響を与えた文化でもある。聖書を合理的に理解し、なぜ宗教と言う形で社会を固められたかを理解をすることが重要で、哲学と全く同じ目的を持ち、その手法が真反対であったのかを理解することは古代を理解する上で重要である。「存在は神であり、神は存在である」も聖書の重要な箴言である。

(c) アレクサンドリア、ローマ、エジプトその他

①この時期は年代順に言えばまず**セネカ（前4〜65）は**、スペイン、コルドヴァ生まれで、ごく小さな時にローマに出てきた。後半生ではネロの家庭教師になり、最後はネロに自殺を迫られた政治家でもあり哲学者でもあった。運命や恩寵など合理主義

の興味をそそる問題を扱っている所に注目すべき哲学者であると言えよう。

②そしてカルタゴ（現在のチュニジア）生まれの**アプレイウス**（125～175）は「**変身**」と言うラテン語の長編小説を書き、特にその中の「**黄金のロバ**」が有名な作家ではあるが、もともとはプラトン学者でもある。「**ソクラテスのデモン**」と言う作品がある。

このローマ帝国が地中海ほぼ全域に広がった時期は、上記のようにチュニジア（フェニキア人、現在のシリア―トルコ国境に発祥）やスペインなどのように非常に広い地域からローマに人が集まってきてはいるが、地域的な広がり、時間的な広がりの割には哲学者は少ない。国の大きな広がりを持つことと文化的に盛んになることが反比例するようにも見える。植民地、大航海時代のスペイン、ある意味ではイギリス、そしてその後のアメリカ、神聖ローマ帝国（962～1806）などもそのような印象を持てるように思われる。国が広く勢力を維持しようとすると視線が外向きになるのかもしれない。文化に対しては外向きになり産業革命と同じような影響を与えるようにも見える。

③**ヘルメス・トゥリスメギストス**（前3世紀～後3世紀）はエジプトのギリシャ語都市での無名の学者達が書いた論文集で、宗教的信仰に対して理性の優位性を主張し

ている。本来的に時代を遡ると、理性の役割が低いか皆無であるように思うが、いつの時代でもそのような考えがあり、逆に我々の現代を、果たして理性が先行しているのかどうか疑って見る必要があるように思われる。実はこの割合はどの時代に於いても同じではないのか？　と考える必要があるように思われる。そうすることで逆に宗教が現代に向かって縮小していく理由が、思っていたところとは別の所にあることに気が付くのではないだろうか？

④プロティノス（２０３〜２６９）、エジプト、ナイル川中流に生まれでアレクサンドリアで哲学形成をしている。プラトン、アリストテレスと共にギリシャ語の哲学者として最重要の哲学者で、一元論を体系化した意味でその後の影響力は中世、ルネッサンス、近代に対して一貫した影響力を持った。プロティノスと同じ一元論を強く主張する哲学者は非常に多く、新プラトン派と呼ばれ、その起源の地名を取ってアレクサンドリア学派と呼ばれる。ユダヤ人も多かった。アレクサンドリアは当時ギリシャの影響下にあり、シーザーとギリシャ系のクレオパトラが出会った地で、大きな図書館があったことでも有名である。その後、地震で水没。

⑤プロクロス（４１０〜４８５）、今日のイスタンブールで生まれアテネで哲学を講じた。新プラトン派と言われるアレクサンドリア学派を、もう一人挙げると言われ

たらこの人であろう。「プラトン神学」と言う作品があるが、特に「恩寵に関する三論文」が興味深い。

(d) アンダルシア（711〜1469）

哲学の視点からはこの時期に聖書を合理主義的に解釈した「迷えるものへの案内」をアラビア語で書き、後のエックハルト、スピノザに大きな影響を与えた哲学者でもある、ユダヤ人の**マイモニデス**（1135〜1204）の重要性を見逃すことは出来ない。他にアラブ人である**アヴェロエス**（1124〜1198、**コルドヴァ生まれ**）も同様。

アヴェロエスは「コーランの言葉通りの解釈は全ての人のもので、その内容のアレゴリックな解釈は一部の教育を受けた人間のすることであり、それは全ての人の理解に達することはない」と主張している。これが信仰に反するために裁判にかけられることになる。

この時期はイスラム勢力がジブラルタールから侵入しフランス中部のポアチエにまで北上し、以後徐々に後退し最終的には、キリスト教徒のイザベルとフェルディナンドのレコンキスタによって、完全にスペインからイスラム系とユダヤ人が追い出される。文化史的には非常に重要であり、イスラム勢力、ユダヤ民族、キリスト教勢力が寛容に共存した時期でもある（レッシングの「賢者ナータン」の世界である）。したがって、経済的にも裕福な時期である。ヨーロッパ史の中で一つの大きな項目をさかれても良い時期である。スペインの国民的作品であるセルバンテスの「ドン・キホーテ」もアラビア語で書かれたぐらいである。

７００年代のコルドヴァでは欧州最大の人口である10万人を擁し、７００の図書館、３００以上の風呂、そして水道、下水道が整っていた。10世紀には羊皮紙に代わり、紙が発明され、最新の天文学書がフランスではたった18冊であったのが、コルドヴァでは50万冊もあり、星の位置により現在位置を知る道具アストロラーベが発明され、後の大航海時代を支えることになった。医学も発達し、土地法が整備され、土地の貸し出し、耕作、所有が可能となり、農業が発達、ザクロなど新しい作物が導入された。トレドにはパリ、ボローニャ、オックスフォード等から留学生がやってきて、後のルネッサンスの基礎を準備したと言える。イギリスのソールズベリーの教会の梁などにはアラビア数字が今も残されている。現在のヨーロッパの言葉、とりわけ学術用語にはアラビア起源の単語が残され、アルジェブラ、アルコール、アルケミー、アルゴリズム（算術）、アッサッシン（殺人）等々。

アンダルシアの文化の最盛期は奇妙なことにキリスト教勢力がコルドヴァを奪回（１０１０）してからの２００年である。上記の哲学者は皆この時期に生存した。１４９２年にユダヤ人を追放して、オランダなどヨーロッパでより自由な国にユダヤ人は逃げていった。その中にスピノザの父親がいた。このような民族離散による文化の移動はフランスでサン・バルテレミーの虐殺（１５７２）以後、ユグノーがプロシアなどドイツ領邦国家へ後に官僚や知識人層をそれらの国で形成したり、１６０９年、南部ネーデルランド（今日のベルギー）をスペインが手に入れることによって、カルヴァン派が大挙して国を去ると文化の繁栄がパッタリと止まってしまい、北部ネーデルランドと大きなコントラストをなしてしまったこと、絵画ではルーベンス、ブリューゲル、ボッシュ等がいたが以後はフェルメール、レンブラント等、北部オランダにたくさん輩出することになった。最近ではユダヤ人がナチス・ドイツから逃れてアメリカへと言う例があり、アメリカの映画産業がほぼ１００％オーストリア移民のユダヤ人によって隆盛をもたらされた。

１２３６年コルドヴァが陥落、イスラムにはセヴィリアとグラナダが残った。１４９１年フェルディナンドとイサベラがグラナダを奪回、異端審問が始まった。イスラム教徒は10年間に30万人が北アフリカに追放された。

(e) 中世

ヨーロッパ中世は合理主義の観点からは一筋縄で捉えられるものは少ない。とは言っても例外がある、それも大きな例外である。それは**マイスター・エックハルト**（１２６０～１３２７）であるが、彼は奇妙なことにベーメやソイゼなどと共に神秘主義者の一人と数えられているが、合理主義者の極致とも言える思想家であると言える。死後直後に彼の作品はアヴィニョンの法王によって焚書にされたために、その評価が遅れたが、近年ラテン語作品が公開されることにより高く評価されている。ヘーゲルとハイデッガーがドイツ語作品によって評価している。

エックハルトは、ドイツのエルフルト、ケルン、フランスのパリ、アヴィニョンと広い地域を移動しているので、一つの文化圏で成長しているとは言いにくい。この時代は、僧侶であることが、一つの知識特権階級を形成していたのであろうか。エックハルトはマイモニデスの合理主義、プロティノスの一元論と観念論の影響を受けた。合理主義の主要な視点が揃った思想家で、もっと前面に出て来るべき思想家であると言えよう。評価が遅れたのも、ヴァチカンによる資料公開が、ごく最近の話であることによるのであろう。

(f)　ルネッサンス

文化的に、この時期はギリシャと共に大きく取り上げられるが、織物業で経済的に非常に繁栄した時期で、後のスペインなどによる海外進出（コロンブス、ヴァスコ・ダ・ガマ等）によってその地位が奪われることになる。ヴェネツィアの中東とヨーロッパの間の中継貿易、フィレンツェの絹織物と法王庁の金庫番などによって経済的繁栄を極めた。この地域の凋落はスペイン、ポルトガルの香料貿易がイタリアを仲介するのではなく、船によって直接ヨーロッパにもたらされることで、価格競争に負けたことによる。

思想家としてもイタリアに限らずドイツの**ニコライ・クザーヌス（１４０１～１４６４）**、イタリアの**ピエトロ・ポンポナッツィ（１４６２～１５２５、パドヴァ）**、**ピコ・デッラ・ミランドラ（１４６３～１４９４、フィレンツェ）**、**ニコロ・マキアヴェッリ（１４６９～１５２７、フィレンツェ）**、**ジョルダーノ・ブルーノ（１５４８～１６００、ナポリ）**、**トンマーゾ・カンパネッラ（１５６８～１６３９）**、**ジャンノッツォ・マネッティ（１３９６～１４５９）**等がいるが、このうちクザーヌスとブルーノは一元論の代表者であり作品もたくさん知られている。

また、ルネッサンスは文芸復興と**人間中心主義（Humanism, Umanismo）**で知られているがこの上記のピコと共に後者の運動の発端となった哲学者がいる。ジャンノッツォ・マネッティ（Giannozzo Manetti; 1396〜1459）であるが、彼は「**人間の尊厳と卓越**」（de dignitate et excellentia, 4vols）という本を書いている。彼についてはいまだ充分な研究がされていないが、先行する悲観的な作品に対する反論として書かれているので、気持ちのいいほど楽観的な本である。人間個人の精神が世界を取り入れることが出来、こうすることによって神にも接近することが出来ると主張している。「人間は神である」とするメジチ家のエンブレムも、この時代の雰囲気であることが分かる。これはいまだカントのように体系化はされてはいないものの、観念論の原型であるように思える。もともと観念論は人間の本性に根付いたものので、注意さえすればさまざまなところで見つけられるようなものなのであろう。あまり論理的なものにこだわりすぎると、抽象的な共通核を見失い、否定的になってしまうが、このようなものが当然合理主義の基本概念となる。

一方、ミランドラとポンポナッツィはほぼ一つの作品で知られているが、その重要性は非常に高い。**ポンポナッツィの「魂の不滅」**は魂は肉体に依存し、全ての人の魂は一つであると主張している。この魂の解釈は、この時代にしては突出して合理主義的であり唯物的でもあり、魂の普遍統一性を主張する所など、かなり哲学的に深い視点が必要となる。この意味で、魂が世代を超え、個人的肉体を超えて永遠となるわけである。この言葉が、背景の思考を抜きに伝えられると迷信となってしまう。哲学的思考もその結論だけを繰り返されるとドグマになり、そして迷信になったりする。そこで、いつの時代も原理から再出発しようとする革新運動が繰り返される。聖書の言葉なども、そのような目立った結論を例え話で語っているので、そこに至った思考を再度組み上げることをしないと、と言っても歴史的に見てそのようなことに至り付いた人は、その時代の趨勢に逆行しなければならないので、非常に少ないことを考えると、相当至難の業であることを示していて、そう言うことが出来た人は今度はその言葉を考える余裕もなく、宗教を信じてきた大半の人達からは背教的、不信心な人、社会生活を乱す人としてみられる二重の困難がつきまとうことになる。この点で信仰と哲学は全く同じ対象を扱いながら、全くの対照を見せていることになる。そして時代の柔軟性、状況の柔軟性に対応出来るのは根本から考え直すことが出来る時のみであるので、平穏時にはそのメリットのあった宗教信仰の硬直性は、変化期には国家意識と見分けが付かなくなり、宗教戦争、人種問題を生み出してきた。社会生活上様々な職業に従事しなければならない人間にとって、同時に哲学思考を深める余裕がないのが現実ならば、このようなことが避けられないと言うことも示している。

マキァヴェッリは、このような人間の原罪性を、そのまま描いている貴重な思想家である。イデオロギーや倫理道徳を先行させて物事を見るのではなく、現実をそのまま見ようとしている。この見方の方が正しいのは、現実から倫理や道徳が引き出されるからであり、その逆ではないからである。道徳を先行させる見方をすると、現実を歪曲し現実に対し実効性のある解決法が出てこない場合がしばしばあるからである。マキァヴェッリに関しては**「君主論」**と**「政略論（原題：「ティートゥス・リウィウスの最初の10年」）」**の二つが重要であるが、後者を良く読んでみるとマキァヴェッリというのは、あの悪名には思いもつかないような民主主義者で自由主義者であることが分かる。一部のスキャンダラスな発言（「マンドラゴラ」のようなエロチックな小説も書いている。）で全てが曲げられてしまっているのである。両方を組み合わせて初めてマキアヴェッリの独自性が出てくるのである。このような思想家は他にホッブスが挙げられるであろう。スピノザ、ルソー、ヘーゲルのような大思想家に、悪名にもかかわらず、高く評価されているのも、この現実的側面からであると言えよう。

人間は〝現実〟という言葉を聞くと、おおかたは余りポジティヴなイメージを持たないことが多い。現実には何か強制されるものを感じるからである。この現実の中には、必ず理想から、かけ離れたと思われるものが含まれているからである。この悪の対処のために〝**普遍**〟を知る必要があるのであり、これを哲学が扱うが、宗教がこの実行に専従し、哲学のように思考することは少ない（なぜなら、以前から言っているように、思考は実行と同時的にはならないからである）。このような宗教の実践性をマキァヴェッリのような現実派が実践すると、宗教道徳の逆になるような実践をもたらすこともある。この点で、現実の性格をシャープにマキァヴェッリが映し出しているようで興味深く思われるのである。歴史自体の動きが正にマキァヴェッリの言動そのものであるからである。歴史の中では理想的な形（普遍形―静止形―完全充足形）が出現することは稀かほとんどなく、どこかに不満足な部分が残り、それが歴史の動因となりエネルギー源となる。悪というのは善を目指させる動因であり、歴史あるいは現実がなくならない限り、悪もなくならないことを示している。このことを実証する意味でも、マキァヴェッリの叙述が価値を持っている。

またこの事実が、この事実と一見矛盾するように見えるヘーゲルの「**現実は理性的である**」との言葉が両立しているのである。理想型は現実にはそのままではほとんど存在しないのであるから現実の中にそれを読み取る以外ないし、現実は総体的であるので、現実の中に必ずそれが垣間見えるのである。永遠に善を追って動き続けることを、その本質としている歴史に止まれと言えば、それは歴史ではなくなり、人間の存在さえもなくなるのである。そして歴史は悪を含みつつも理性で全てのものが決定されているのである。もし、人間がその理性を完全に読み取ることが出来れば（それは永遠に不可能である）悪も消えるが、同時に歴史も人間存在も消える。一旦人間は理性で物事を追求し始めたら、そして、それ以外で物事を追求出来ないが、可能、不可能にかかわらず全ての物事が理性で、くまなく決定されていることを想定する以外のことは出来ない。これはまた合理主義一元論観念論（自我論）が唯一の哲学であることも示している。

また、キリスト教が正しい行いを目指したイエスが、あのような悲劇的な最期を遂げたことに最初の大きな出発点を置いている点に注目すべきであろう。このような悲劇は人間にとって一番衝撃的なことである。人間の歴史には「**生前になぜ正しいことをしている人間がその見返りをもらえず、悪を行うものが罰せられないことがあるのであろうか？**」と言うようなことが時々見られるが、このようなヨブ記に見られるような矛盾は大いに思考を刺激する。道徳、正しい行いを説く宗教、そして、正にキリスト教がそのような矛盾する事実に、その出発点を置いている事に注目すべきであろう。善悪の概念は二元論であるが、二元論と言うことは二つの概念がほぼ50％－50％で拮抗していることを示している。しかし、人間にとって、存在することは善である、従って存在するために、バランスを善に傾ける必要がある。そのために宗教や道徳がその役割を果たしてきた。宗教の役割がこれほど大きかったのも、そのための施設（教会その他）があれ程壮大であるのも、善悪概念の拮抗がきわどいことを示しているし、悪もあらゆる個人、あらゆる状況に遍在していることも示している。人間の歴史が事件、すったもんだの繰り返しであったことが、これを証明している。聖書、ヨハネ伝に「**神が人間世界にやってきたのも平和をもたらしにやってきたのではなく戦いを起こすためにやってきた**」という逆説的な一節が有名であるが、これはこの意味に理解することが出来る。そして、マキァヴェッリやホッブスが重要であるのも同じ意味である。一つの正義の完結は、個人の生のスパンを超えることもある。ここに、その個人にとっても、それを見ている人にとっても、大きな悲劇が存在する。この点にキリスト教が出発点を築いたと言うのは非常に象徴的なことである。単なる道徳を説くだけではないキリスト教の伝搬にとって大きな力となったはずであり、これだけの拡がりを持ったことの一つの理由であろう。大きな出来事の裏に大きな悪の存在を示唆しているからである。悪は万人が認識するものであり、それ故に悪に対しては全力が必要なことを物語ってもいる。

ところでメジチ家のエンブレムは「**人間にとって人間は神である**」であるが、これを法王庁が問題にはしなかったのか少し驚かされるが、法王庁の金庫番であったり、法王自身をも送り込んだメヂチ家の経済的、精神的独立性が強かったのであろうと想像される。主体的に「**人間は神である**」という言い方はしていないところに直接性を隠した感じもするが、しかし宗教を棚に上げたような合理的な感じがする。宗教の保守的な力が厳然とある一方、経済力が自由の範囲を急速に拡大している時期で、それがルネッサンスを象徴しているように思われる。ガリレオやブルーノの新地平を開く言動が、教会の保守権力と衝突しているが、保守権力がいまだこのように強かったのは、新たな地平を確認した人達が未だ保守派に対して少数派であったことを示している。未だ民衆への教育の普及が十分ではなく、一部の特権階級のものであったことを物語っていて、教会権力を多数派の民衆が支えていたことを示す。

しかし、その時代で起こったことは、それ以外では成立しようがない。これが遅れたことに思えるのは、今の時代から見た単なる印象（偏見）でしかなく、その時代の主要な条件を理解したとは言えない。哲学では〝**人間性**〟には時代による変化も進化もない不変（普遍）なものとして、この人間性の不変（普遍）を尺度にして時代や歴史を理解していく。この不変である普遍というのが理性のことでもあり、これが普遍的な主観に拠点を置く観念論が一元論的合理主義の必要十分条件であることも物語っているし、人間（性）の一元性が全てを理解する尺度となっている。したがって、人間によって描かれたものは、全てが人間性の裏返しか、人間性の裏打ちがされているものと考えられる。絵画が具象から離れ抽象化する理由もそこにあるし、小説が筋立てや題材以上のものを求めようとするのも、現代音楽が抽象化するのも、その裏にある主観を強調したり純粋化しようとする試みであるのであろう。外部的、具象的映像より人間の主観により近づくからである。人間主観が物差しとなり、客観の尺度となっているのである。

＊現代イタリアにもフランスのフランソワ・ジャコブ（ノーベル生理学賞）、ドイツのヴァイシェーデル（１９０５～１９７５）と共に日本にはあまり知られていない興味深い哲学教授がピザにいる。**アルド・ガルガーニ（１９３５～　）**と言う。彼の Il coraggio di essere（存在の勇気）と言うヴィットゲンシュタイン論ではあるが、彼の哲学思想が一元論観念論であることが解る。非常に多くの作品を残しているのでビブリオグラフィーに付け加えておく。

(g) 17世紀オランダ

この時期、この地域の哲学者はスピノザだけであるが、ヘーゲルが一番重要な哲学者と挙げているだけでも、この小さな地域の短い時期を見てみる価値はある。

隆盛期のオランダはスペインの無敵艦隊を破り、最終的にはイギリスには敗れるが、インドシナからイギリスを追い出し、香料、胡椒貿易を独占しイギリスをインドに方向転換させた。アメリカのニューヨークも、もともとはオランダ領であり、ニュー・アムステルダムと呼ばれていたし、東インド会社としてポルトガルなどと共に日本にも到達している。もっぱら商業国家でありスペイン、ポルトガルから追い出されたユダヤ人、マラーノが先物取引など金融関係にたけていた。また、さまざまな外国人がオランダに自由を求めて活躍していた。商業に於いては国籍よりも金銭的能力が優先されるからである。オランダはスペインと独立戦争、宗教戦争等を起こし、今日のベルギー（カトリック）とオランダ（カルヴィニスト）に分かれた。こうしてオランダ北半分の独立によってこの北半分が繁栄し、もっとも栄えた時期が1625～1675であると言われているが、これはスピノザの一生（1633～1679）とほぼ完全に呼応するものである。絵画ではレンブラント、フェルメール、科学でのレーウェンフック、ホインヘンス、法学でグロチウスがいた。ここの都市ではヨーロッパ有数の人口を抱えていたものの、この小さな地域が、これだけの数の文化人を出したことは注目に値する。この時のオランダの人口はイギリスの二分の一、フランスの六分の一だが、それにもかかわらず国家収入は英国を上回っていた。国民一人あたりの平均収入も世界一、税金も世界一で、間接税（消費税）があった。

以上に、ごく手短に合理主義者スピノザを生んだ下部構造を見てみた。スピノザと同時代人で同じくポルトガルからのユダヤ人移民の後裔であるウリエル・ダ・コスタが聖書にある「魂の不滅」に関して信仰による迷妄であると主張した本により、シナゴーグから破門された後、自殺すると言う事件があった。この本は、スピノザによる神を科学的に解こうとした意志、ある意味では、彼は徹底的な証明を目指すと同時に、科学的にフォローするための一定程度の知的訓練が必要なために、一般人には近寄りがたく、ダ・コスタにあるような盲目的信仰の迷妄に対する強い言葉が、緩和されることになったのであろう。ダ・コスタの場合、スピノザもある意味ではそうなのだが、「魂の不滅」を信仰者がシンボリックに設定した理由とその構造を解き明かしているわけではない。信仰者の傷つけられた感覚は、あまりにも両者の間隔が離れすぎているので、信仰者に考えさせる契機になることはなかった。なお、ダ・コスタは「魂の不滅」を拒否した司祭グループ（今日ではインテリ・グループであると言えよう。）

であるサドカイ派を語り、それを信じるパリサイ派（庶民派）を攻撃している。スピノザより直截な言い方をしているので、宗教を合理的に読み解こうとする人達にとっては面白い。また、彼を自殺にまで追い込むまでの自伝もスピノザの時代背景を、よりありありと感じ取るのには興味深い。また、両者ともユダヤ人移民と言う特殊な状態にあったことも、当時の社会に距離を取り完全には同化出来ない状態にあったことも思想形成の動機としてもあったであろう。また、ユダヤ人が思想、科学思想、経済に於いては飛び抜けて優れた人々を輩出し続けたが、生活を楽しむ絵画（シャガール）や音楽（メンデルスゾーン、現代では奏者がたくさんいる）では非常に少ないことも、この事実を考えると、理解が出来るのではないであろうか。生活を楽しむ文化は、それを行う人の生活自体に余裕がないと出来ない安定した生活を得るには難しい職業である。金融業などの禁欲的宗教観念からは軽蔑された職業の方が他の人種の競争がなく安定していると言える。

(h) ウィーン

ウィーンの文化にはフロイト、クリムト、シーレ、シュニッツラーなどのように特に社会的タブーに挑戦するような特徴があるが、それだけの経済的インフラと、それ以前の文化に欠損した部分に照明が当てられるような状況が必要であったのではなかろうかと思われる。ウィーンには哲学者としてヴィットゲンシュタインがいるが、論理学に刺激され（多分哲学での自然科学並みの客観性が論理学適用によって成立すると考えたのではなかろうか？）非常に面白い発言はあるものの社会総体、道徳、人間の精神構造を体系的にまとめようとした面がない。この意味で全体的に見ると哲学本来の合理主義者ではない。

また、その解釈には疑問が残るものの、夢現象を合理主義に対峙させたフロイトに関しては、逆に奇妙なようなことであるが合理主義者と言える。ただし、本来の哲学のように全てを包含する総合的な体系がウィーンには生まれなかった。これも産業革命による社会の拡大、分散、専門化の影響なのであろうか。一方理論物理学者（同時に深く哲学的である）は、ボルツマン、シュレディンガー、エルンスト・マッハなど非常に豊富であった。

(i)　18世紀ジュネーヴ

ルソーはフランスで主に活躍した哲学者であるがジュネーヴで生まれ、小さい頃は父親の蔵書などを読んでいたというので、敢えてジュネーヴを選んでみた。小さい町ながらもルネッサンスや17世紀オランダと共通の経済状況があった。この時代は未だ鉄道網もなく陸上交通よりは船での交易の方が当たり前であったが、ライン川によってオランダと繋がれていたことは経済的繁栄に有利であり、その結果として言論の自由があり、そこから遠くないところにヴォルテールなどの避難の場所があった。つまり、時代にはずれがあるものの、スピノザ（１６３３〜１６７７）とルソー（１７１２〜１７７８）がライン川を通して繋がったことになる。そう言う意味ではオランダとカントのケーニヒスベルグもハンザ同盟の下に繁栄した都市である。この時代は国家よりも海運通商により都市から先に繁栄した時期である。

また、時代は下るが、文化的にもアルピニズムで有名だった者や言語学で有名なフェルディナンド・ソシュールを出したソシュール家等を輩出している。経済的には時計工業と国際的に散らばったユグノーと関係の深い銀行業は、フランス王家とあまりにも関係が深く、フランス革命と共に一時的に落ちぶれることになった。ルソーの〝エミール〟と〝契約論〟を禁書にはしているものの、経済的に繁栄をし、開明的な都市として知られていた。合理主義思想を生むにはかなり堅固な経済的インフラが必要である例として、ここにジュネーヴを取りあげてみた。

(j) イギリスとフランス

イギリスとフランスは経済的、政治的にドイツに先進していたと言われる。実際フランス革命を始めとして、さまざまな政治的変化はドイツに影響をもたらし、イギリスからはアダム・スミスの思想などが影響をもたらした。しかし、スピノザの影響という点から見ると英仏にはドイツのような大々的広汎な導入は見られなかった。スピノザ一元論とドイツ観念論が出会うことによって大々的思想のルネッサンスを形成した意味は非常に大きい。

しかし、その前段階としてイギリスには、スピノザに大きな影響をもたらした**ホッブス**（**１５８８〜１６７９**、「**リヴァイアサン**」）、独我論にも見える観念論思想をカント以前に先駆的にまとめた**バークレー**（**１６８５〜１７５３**、「**人知論原理**」）がいる。その後では一部に一元論的概念を述べている**スペンサー**（**１８２０〜１９０６**、「**第一哲学**」**序文**）、意識に関して興味深い意見を述べている**偽メイン**の「**意識について**」（**１７２８**）等がイギリスでは合理主義哲学にとっては、取っ掛かりやすい著作であろう。

他に他のジャンルには少なくとも二人の巨大な影響力を持った人がいる。一人は**シェークスピアー**（**１５６４〜１６１６**）で、人間関係の不思議さ、人間の運命に注目させてくれる。もう一人は**ダーウィン**（１８０９〜１８８２）であり、自然に於ける種の一体的連続性を証言している。

フランスは文学（詩、小説）や絵画、料理文化等、より生に密着した面に独英を凌駕しているが、これらは農業立国と工業立国という経済インフラの違いによるのであろう。**クロード・ベルナール**（１８１３〜１８７８）はブドウ畑の農村出身であるし、サンドやパニョル等のように農村を舞台とした小説家がフランスでは特徴的である。**パスツール**（１８２２〜１８９５）や生理学なども農村なしには考えられないのであろう。また、現代ではノーベル生理学賞のフランソワ・ジャコブがいる。この国の性格を良く表している。

(k) 中国

紀元前5世紀、２５００年前、中東で旧約聖書が書かれたらしい頃、インドでも中国でも興味深い哲学思想が書かれることになった。諸子百家と呼ばれるように多くの思想家、道徳家が輩出された。この中でも特に**荘子**、**老子**、**孫子**が哲学的には注目すべき思想家であろう。この三者に共通の〝道〟の概念は、それを描写することは出来ないが全てを支配すると言うことで自然総体にも呼応し、西欧キリスト世界での〝神〟の叙述に似ている。と言うより、完全に呼応していると言ってもよいものであろう。これだけ場所が離れて、全く違う表現ではあるものの、ほぼ独立に成立した概念であるのに、同じようなことが出てくるのは、人間の向かっている対象が同じであることを考えるべきであろう。単に用語が異なっているだけとも言えるだろう。自然に生きることが最高の徳であるというのは、無為に思われているが、自然を知る、相手を知るという一番抽象的、それにもかかわらず具体的作業が必要となる。孫子などこの三人の「一国の指導者が人民に対して無為に振る舞う」というのは民意を汲み民意に添って政治を行うという意味であって、何もしないと言うことではない。民と同じことをするという意味で〝無為〟と言っている。この個人より、より広い〝民〟がより広い〝自然〟に繋がっていく。

(1) 日本

最後に自分の足元を見てみると親鸞（１１７３〜１２６２）と一休（１３９４〜１４８１）が大いに逆説（「罪深き人こそ救われるべき」その他）を効かせることによって普遍的な事実をクローズアップしている。西田幾多郎（１８７０〜１９４５）

の観念論とも言うべき主知主義、「善の研究」も合理主義的観点に十分引き込める性質のものであるように思える。その弟子の金子武蔵（1905〜1987）はあの難解なヘーゲルの「精神現象学」を詳しく解釈して翻訳したことで有名だが、彼の観念論に関する緒論文は創造的刺激を与えてくれるものであるように思われる。ノーベル物理学賞をもらった理論物理学者の湯川秀樹（1907〜1981）の哲学論文も大変興味深い。

(m) その他

地域としてはインドの「**ウパニシャッド**」がある。ウパニシャッドの〝アートマン〟（個人精神）は普遍的な自我で一元的に存在し、これが〝ブラーマン〟（世界精神）という全世界を包摂している。まさに一元論的観念論である。恐らく紀元前5世紀以前の世界で一番古い深い哲学であろう。

ここではいわゆるたくさんある哲学解説書について述べてみたい。ヘーゲルのような難解な哲学者に関しては非常にたくさんあり、自分の解釈が正しいかどうか確認するのには便利なものである。しかし余り細かいことをつつきすぎると読む意欲がなえてしまうものである。部分的な興味で読む以外では、その中でも読んで創造的刺激が得られるほどのものが、ごくごく少数ながらある。自分が読めた範囲のものだけなので偏っているかもしれない。

ヘーゲルに関しては**ジャン・イッポイット**（**フランス、１９０７〜１９６８**）と**チャールズ・テイラー**（**カナダ**）。後者はジョン・ロールズと共に今大いに話題になっているハーヴァードのマイケル・サンデルの師にあたる人である。それに**ヴィルヘルム・ヴァイシェーデル**（**ドイツ、１９０５〜１９７５**）はヘーゲルを一元論の面を強く強調して解釈している。他にフィヒテ論も興味を引く。

新プラトン派、プロクロスとプロティノスに関する興味深い論文で**ジャン・トロワイヤール**と言うフランスの高校の教師であった人がいる。

第6章

哲学と社会科学との違い

社会科学と言うものは近代（19〜20世紀）になって出来てきたものである。一方で学問の多分節化により、他方で自然科学の影響で、統計などを駆使したより科学的、客観的な見方で見ようとするやり方がある。社会科学は政治、社会など哲学に比べ経験的データが膨大であるため一部分に忙殺されるために、哲学体系に結びつけることが非科学的と考えられるようになったのであろう。より科学的とする統計などを駆使するやり方は最大限主観を排除しようとする自然科学のやり方と同じである。これは、統計の一つのパラメーターに対して、多様な主観的な態度が包摂されてしまう。例えば、個人的感情のパラメーターである〝**怒る**〟とか〝**笑う**〟とかを無視して、客観的に表面に現れた指標だけを取り出すことで、主観を排除しようとする。しかし、内容的にはその感情表現に至る多様性を完全に排除することになる。これは個人に関係のない社会動態を浮き彫りにするようで、思わないところを気づかせる役割があるかもしれないが、それが自分個人の現実に関係ある人はその中にいるであろうか？　個人の現実が遠ざかれば、逆に人間の普遍性も遠ざかる。

人間の問題は主観（それは肉体でもある）を排除しては客観的な事実はなくなるのである。哲学に於ける客観的な証明は、正にこの主観を必要十分条件とすると言うことである。もしそうならば、合理主義哲学の立場からは、社会科学よりも文学の方が客観的であるとも言える可能性を持つのである。より心の現実に近いからである。具体的特殊個人の中である現象を描ききると言うことは、その現象の普遍性を訴えると言うことでもある。まさに古典として残った文学は、この普遍性を描けたからこそ、多くの人に評価されて残ったのである。逆説的に見えるが、感動を与え共感を与えることが客観性を保証しているのである。共感はその名の通り普遍を意味している。個人の強い具体的な経験をフィクションの形で抽象化することでより普遍化している。相手に伝えやすい普遍化をすることで書くことが〝昇華〟と呼ばれる。分析、分解せずに共振させることの中に客観性を読み取るのである。分析すれば無限に分析されるからであり、いつまで経っても共通基盤である客観性にたどり着けないからである。

一人の個人には、部分でありながら、あまりにも多様な要素が絡み合っている。哲学や文学のように人間が人間を観察する以上、個人の多様な要素を無視することは出来ないし、全ての個人における要素の絡み合いは、全員に於いて異なっていると言える。ここに客観性を引き出すとすれば、個人の中の心の出来事を忠実に分析し描ききる以外にない。この分析と描写が正しければ、逆に事態が世間離れ（脱具体化、抽象化）をしていればしているほど、他人の共感、そしてその事実の客観性を獲得することが出来るのである。と言うのは、人間は出会う事実の順番や時期が異なっても、その絡み合いが多様でも、それを受け取る器である人間としての組成には全く差がないからである。特殊性、個性は常に普遍性の器にのっている。逆説的には見えるが、特殊性を他人に分かるまでに描くことで、普遍性の言語に到達することが出来る。普遍性の言語とは不変な人間性のことでもある。ここに言語化することで孤立化、特殊化から、あるいは病的孤立状態から抜け出すことが出来る。これは治療でもある。この普遍的組成を描くのが、個人に起きた多様な事件なのである。この多様な事件を受け取った主観が直接に物事を描かない限り、この人間性の普遍を描くことが出来ない。哲学はその意味で自然科学とは大きく袂を分かち、多くの場合社会科学とも異なることが多い。主観性を拠点とすることで文学とは共通であるが、文学が主観性の忠実な描写をし、哲学がその体系化（まとめ、そして解説をし、一つのまとまりを見つける。）をすることで、客観化する、という点で異なる。

(a) 占星術

ところで、ルネッサンス時代、哲学者達が大いに興味を持った占星術、それはいまだ現代でもしっかりとした科学性を持たないにもかかわらず、非常に人気のある占星術であるが、それはそれなりの根拠があるために、今まで非科学的（迷信）と言われながらも残って居続ける。原理的には天体惑星の引力の関係が地球上の個々の生物、歴史的出来事に影響を及ぼすと言うのは、生物体が自然の原理の中で生きている以上ありそうなこと、あるいは必然的なことと考えることは出来る。例えば、気圧が我々の気分に影響している。晴れ上がった日（高気圧）には元気になり、曇りの日（低気圧）にはやや憂鬱になったりする。

スピノザは神は自然であると言う。人間はその自然の一部であるとするなら、必ず全自然の影響は大なり小なりいろいろな形で受けているはずである。そうすると占星術は科学的であることになる。しかし、占星術がいつまで経ってもその連関を厳密には証明出来ない。これは恐らく証明不可能なものであるように思われる。なぜなら天体の動きに関する引力の関係は自然科学での出来事であり、一方人間の細かい事象は主観の関わる哲学的な事象であるが、この二つの領域を橋渡しする理論は存在し得ない。どちらかを取るか問題になり、量子力学に於ける〝**相補性の問題**〟となってしまう。自然科学は出来るだけ単純化して問題を解こうとし、哲学は、人間の複雑でもある現実を尊重するので、多くの絡み合った要素を無視しないで、その結果を見ていこうとするものである。この異質なやり方を組み合わせている以上、占星術はその根拠を持っていたにしても、厳密には永遠に証明出来ない構造になっている、と考えるべきである。また占星術にはその影響する要素として10個以上の既知や未知の惑星、12の星座その他の要素が全て絡み合い、それだけでもコンピュータで調べも天文学的級数になるはずである。これだけ見ても厳格に追求することは不可能事である。しかしながら、ぼんやりとした呼応性は出てくるであろう。これらのデータを基に自信を持って断言した時に迷信となる。占い師の職業自体が迷信となる。占星術の本は今日の運勢とか、来年の運勢とか、その人の性格とかいう、あまりにも細かいことまで予言する。もっとも未来は解らないと言うのが科学的な見方である。性格に関しては、一定程度の概念は言えるかもしれないが、要素があまりにも複雑である。未来に関しては、こんな可能性はあろうが、事実が起こってみないと解らないと言うのが正しい立場であろう。可能性を予測するのは歴史学の立場である。理性はここまでである。以前にも言ったが、この予測を使って投機するのが政治家である。そして、メソポタミアの太古の時代から現代まで迷信と言われながらも誰もが興味を持ち存続してきた物にはそれなりの意味があると考えることが出来る。それを迷信と言って切り捨てることこそ（私が過去に於いてそうでしたが）返って非科学的だと言えるのではないだろうか。これは立派な現実を持っている宗教や神話にも言えるのだが、人間の性格を否定し、現代人の独りよがりのようなものではないだろうか。

一方、個々の歴史の叙述や小説がより現実に近いし、その存在意義を持ってくる。したがって、人間を扱う世界に於いては、その価値を既に認められた小説や哲学作品などは、そのまま客観的価値のあるものであり、一般に思われていることに反して、科学に於ける科学的証明を与えられた発見に相当すると言える。それも自然科学と同等の客観性を持っていると主張したい。

(b) 直感と概念

自分自身が自分自身と他人を観察すると言うことから、あらゆる精神的な出来事、描写は主観性を無視して成立しないことから、その普遍となった主観においての整合性を持ったものが証明された客観的事実となる。観察された事実の描写は、この普遍となった主観との整合性に従っていることになる。いわゆる「**直感**」と言うのはバラバラに観察された事実があるとき、所謂、先天的主観の構造に整合性を持ってまとまったときに起こると考えられる。それは太古の昔、(神の)啓示と言われるものである。したがって、ある事実に関して考えることは、この普遍的主観の大系に沿って並べ替える(自分のこととする。)ことであると言えよう。現実性の一番強いものである自己のものにすることで最大のインパクトが得られる。事実が一応出切ったところでは、後は思考の作業（自己と普遍の人間性に合わせる作業である。）である。科学では理論物理学、人間に関することでは哲学がこれにあたっている。主観がこのようなまとめる作業をしなければ、またその事実を理解出来なければ、それを自在に使用することも出来ない。自然科学に於いては、その普遍的主観の構造なるものはその科学の大系であり、哲学に於いては普遍的人間性の表現である社会構造であり、同時に自我であると言えよう。主観に沿わないような事実は、理解出来ないような事実であろう。主観に会うまで、その事実は追求される。主観の力、つまり欲求を強くすることが、この直感の力を強くすることであろう。ただしこの場合、対象の存在を無視した時には非合理的なもの、誇大妄想になる。自我は自然の中の存在だからであり、自然の法則に則らなければならないからである。自我が同時に全ての他人と自然全体を表現していなければならない。

　概念という言葉があるが、概念は観察対象そのものではなく、その対象の主観にとって重要な点を取り出し、簡素化されたものである。それは対象と主観を取り持つもので、主観と言う一つの体系によって簡素化されたものである。ライプニッツや**カントには「統覚」（“Aperzeption”｛意識的知覚｝と言う意味だが、〃知覚の非在〃とも読めない事もない、純粋理性批判、Ｐ２２９～２３１）**という概念があるが、これが概念を成立させる主観の体系である。アプリオリ（先天的）は時間、空間、因果関係のような対象そのものには存在しないが、対象知覚の中にある主観の体系である。したがって、概念は対象の生気を失わせるが、替わりに主観（人間）の生気が吹き込まれることになるのである。

α：推測、第六感、インスピレーション、大発見

これらも、社会的過程で徐々に明らかになってくる普遍的共通の自我、〝原自我〟と言っていいようなものと関係がある。これらの概念全ては、理論的にいまだ固められていない領域に向かって投機されるべき行為となる。もし、それらの行為によって理性的、論理的に認められるものであるならば、その投機の基礎となった概念があるはずである。それは必ずしも直接に観察対象となった現実からのみ来るものではない。それは自己自身の主観、自我から来るものである。観察された事実の影響力がニュートラライズ（中和）された時、あるいは静かに客観的に物事を見るようになった時に、またあるいは普遍的自我の構造に沿って並べ替えられた時に、それらの行為が意識されてくる。それらが現実に使える形になったからである。

頭の中での情報は非常にたくさんあり複雑なので、それらが自然な形で並べ替えられる必要がある。初めて当の懸案を取り出して向かい合うとき、作家が白い紙を前にしたとき、あるいは画家が白いキャンバスを前にしたとき、思いもしなかったものが出てくる。また、アリストテレスの散歩の時などのように、リラックスをしているとき等に、この状況が出現することはよく知られている。個性の強いものが大発見をするのは、欲求が強く自我の意識度が高いからである。この自我の大半は現在の行動を起こすために、無意識の膨大な倉庫から引き出されるのだから、単純でありながら、その情報量が膨大である。情報量が膨大であるために夢の中でのように脳での統制力が緩むときにはさまざまな情報が勝手な結びつきをしてしまう。

生まれたときからの全ての情報を受け取る基礎（倉庫である脳或いは体全体）があると考えても差し支えないであろう。これらの膨大な情報が万人共通の自我の構造の上に載っているのである。情報が多くなればなるほど、おのおのの自我の共通性がよりよく表れてくる。若い時程、自我の持つ情報の差が大きく（なぜなら貯まった情報がいまだ偏っているため）、おのおのが強く自己主張をして、それだけに衝突の可能性も増える。情報や知識に頼れば頼るほど、まとまりはなくなるが、情報を引きつけた自我に注目する時、たった一つのまとまりが見えてくる。つまり、万人共通であるという意識を持つこと。その自我構造がたった一つならば、そこには非常に厳格で客観的な法則が見えてくる。人間としてはこういう行動、考え方は不可能であると言う思いは、外的な強制によって自我の係わらない情報に引っ張られない限り、少なくとも意識の底で日々体験しているはずである。それでも人間としてあり得ない行動に見えるとき隠された条件があるはずであり、しかしながら、それは決して人間の条件をはみ出すことはない。

また、人間のさまざまな強い欲求、例えば過度の金銭欲も、この普遍自我を無視しようとするが、この自我には自分だけではなく全ての人の関係が含まれているので、単に直接的にその欲求を満足させようとするには、遅かれ早かれ社会的制裁を受けるので、うまくいくはずはない。自由と必然性の表裏一体がここにはある。自責の念はこの普遍自我を意識するからである。犯罪は、社会的に罰せられなくても、すでに内的に罰せられていて、「徳はそれ自体に意味がある」（スピノザ他）とされる一見ちょっと理解しにくい言葉の意味が理解される。自責の念を持っている以上、一個の人間にとって欠かすことの出来ない他人、社会がいたたまれない存在となる矛盾を個人の中で抱え込む。逆に、徳はすぐに他人がそれを確認することがなくても、上記のような矛盾のない平安感をもたらすはずである。社会と矛盾のないことを自己確認しているので、将来的に非難される不安がなくなるからである。それ故人間的繋がり、他人と話すことは、社会と自我の一致やずれを確認することで安心感への方向性を確認することが出来る。

インスピレーションをもたらす自我とこの道徳自我が同じものであることは、非常に興味深いことである。そして、これがまた観念論の主観でもある。

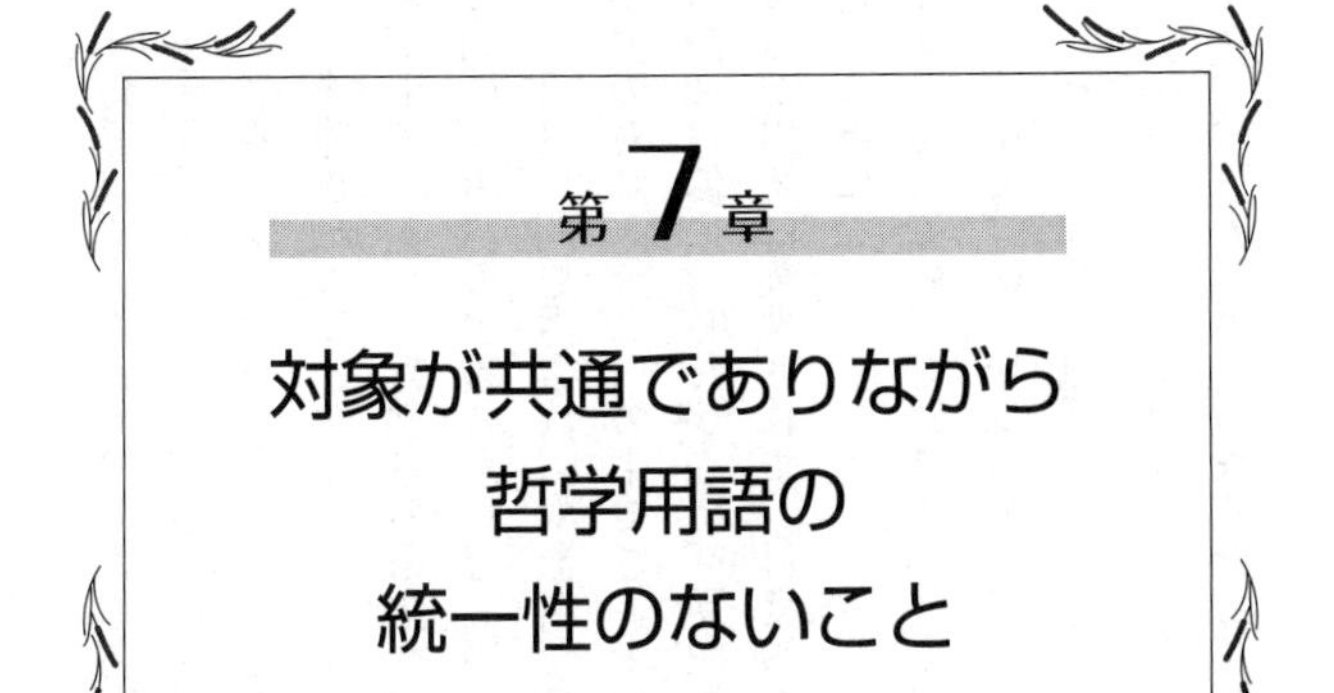

第7章

対象が共通でありながら哲学用語の統一性のないこと

哲学体系は、人間を超越した世界ではなく、人間主観がその共通の対象であるために、常時見渡すことが出来る一体系である哲学者個人の作業によるまとまりが必要となる。必要頻度の極めて高い日常言語に於けるように、皆が対話をすることによって用語が洗練されることが非常に少ない哲学用語では、各哲学者に独特の用語に慣れる必要が出てくる。各哲学者の用語も常に新たな領域を定義付けていくだけに、各哲学者の間には用語の定義のずれなど個人的要素が大いに影響していく。特に哲学者一個人の中で長い間思考され、対象概念を個人的に作り出す中で、そう多くない哲学者達の間での対話（全人口の中でごく少数なので）の機会も多くなく、共通の用語が出来る可能性は低い。したがって、逆説的なことが結果してくる。頭を使っている哲学者達の方が用語に洗練されず、日常的な言葉の方が多くの人達の監視下に置かれていると言うことになる。

そうは言っても、対象自体は全く共通なのである。これは読者が多くの哲学者を読んでいく中で、あるいは自分の考えと比較する中で、その用語、用法の違いに惑わされず、その共通性を見通していく以外にない。さまざまな概念を現実適用のレヴェルではなく（なぜなら現実適用の段階では必ず細かい差違が問題となってくるから）、抽象のレヴェルで共通性を見通していく必要がある。いわゆる論争の段階ではないのである。決して厳密な定義づけにこだわって、その対象を見忘れることのないよう肝に銘ずるべきである。対象は常に共通であるにもかかわらず、現実適用は厳密な差違に向かうものである。この点、政治の世界と共通なものであろう。それで、あれだけ高度に知的であるはずの哲学者達が、同じく本来は知的であるべき政治家のように激しい論争をするのであろう。

実際的にこの点を見てみると、中世からスピノザに至るスコラ哲学の用語に〝**実体**〟、〝**属詞**〟、〝**変様**〟など今日の用語ではわかりにくい言い方である。またヘーゲルには〝**対自**〟、〝**即自**〟、〝**対自―即自**〟、〝**絶対精神**〟、**カントには**〝**直観**（**第六感という意味もあるが直接的に感じられる普遍的感覚という意味であろう**）〟、〝**カテゴリー**（**普遍的人間主観にもともと存在するものと言うところか**）〟など今日の用語では異なる独特な意味を持っている。

また、例えば**プロティヌス**には「**一者**」からの「**発出**」と言うような用語があるが、古い時代だけあって、状況を比喩的、シンボリックに言っているのであり、その用語自体に過大に拘泥する必要はなく、その内容を見分けるべきである。そして、それらを読む人達は実は直感的に理解しているのである。だから、その作品が心に残るのではある。他の思想家と比べる時に、その双方が異なって見えてしまうのである。

その抽象的な状況を理解すれば、どの他の用語でもかまわないのである。この点で古代ギリシャや古代中国の哲学者の用語は神話的であるが、それを現代語的に解釈し直さなければ、その内容を理解したとは言えなくなる。さもなければ、古代のもの、聖書なども、ただ単に遅れたものに留まり、ドグマ化され信仰（信仰や儀式とはドグマそのものである。）の対象になったりする。その言葉を発している人間も、その対象も今も昔も変わらないものであると言う認識が必要である。「**理解**」**と言うことは全ての人間、全ての対象を全く同じ地平に置くことから始まる**。例えば、聖書の言葉やその内容も現代の合理的な言葉に置き直して初めて理解が行くようなものであろう。そうなると〝信仰〟という現象が〝理解〟に置き換わるはずである。その理解の内容は当初宗教が目指したものと同じものであるはずであるが、より柔軟でなければならない宗教が本来目指したものとなるであろう。何々教と言うような宗教の区別も宗教戦争もあり得なくなる。それは反宗教的、反道徳的になろう。

また、翻訳によって本来は日常的な用語の組み合わせが、抽象的な全く新しい言葉になって直感的に分かりにくくなったりする。翻訳による言葉のずれは、極端に短い文章による詩などでは哲学以上にシヴィアーになる。この面に於いて詩人の中原中也は翻訳不可能と思われるランボーなどの詩を翻訳していても、「**翻訳出来ない詩は詩ではない**」と言っている。この発言は非常に当を得ている。なぜなら元の感情は普遍的なものであるからだ。同様に哲学に於いても、その対象は共通なもの（人間）であるはずである。したがって、翻訳によって、あるいは他人の文章によって分からないと言うことは、原則的には存在しないと言うのが基本的な態度である。それでも分からないときは、その対象と言語の呼応がいまだ洗練されていないと言うことであろう。例えば、表現された文章の中に、他の意図が隠されていたり（例えば、論争になった時に、個人攻撃が潜在あるいは顕在した時）、その対象に対する意識がいまだはっきりしていない等の要素である。いわゆる古典と称される作品は、この面での洗練度が高いから古典として賞賛されると考えられる。いわゆる対象に対する意識がより明確であるのが、残り続ける古典としての特徴であろう。

哲学の場合、用語自体が不明解であっても、詩などに比べものにならないぐらい長い説明の文章がある。詩は同じ状況にある時に、長い説明がなく、ごく短い言葉によって、直感的に理解する（同感）ことが喜びとなり、そのほうがより純粋正確な理解と言える。哲学に於いては言葉を尽くして説明しようとするが、外見に反して、返って言葉の定義が限りなく広がって、用語に惑わされると、正しい理解から遠ざかると言う欠点がある。この点で用語に惑わされない、詩に於けるような、直感的理解が必要となる。漸近的理解より直感的理解のほうが当を得た理解になる。同様な状況に置かれたことを具体的事実を外して抽象的な核感情によって直感的に理解する。これが故に、共感を得たところから理解を引き出すことの重要性が説明出来る。

しかし、詩に於いても、哲学に於いても、言葉に形成することによってその対象が初めて同定されていく。言葉とその対象は一心同体である。スピノザの心身並行論（同体論と言った方がよいかもしれない）と、マクロコスモス（全世界）がミクロコスモス（自己）に含まれている、と考えると、言葉とその対象は同じであると考えてもよい。そして、両世界の規模は、観念論と言うことを考えると、マクロ、ミクロと言いながらも、全く同じものとなる。

また、言葉で同定することによって、社会的有用性が高まる。その意味で詩も哲学も無用の長物ではなく、社会的言語の粋として存在しているはずなのである。哲学のある社会は経済的にも政治的にも高度に発達した社会なのである。それが故に、哲学者から逆にそれを支える社会を探ることは必然である。こうすることによって、自我形成の基盤としての社会を浮き彫りにし、文化と社会の関係を考えて見られる訳である。特に哲学者は少数である故に、インフラである経済、社会と哲学との関係は深く必然的であるべきではあるにもかかわらず、繋がりが見えにくくなっている。哲学を専門とする人間は少数ではあるが、哲学は主観を中心問題とする以上、全ての人に共通遍在している。

また、ルネッサンスのように過去を振り返る（ギリシャ時代に帰れ、人間復興）ことも、おのおのの思想家の共通性を探る上では、重要な行為となってくる。時代状況も場所も全く異なり、したがって、その用語もかなり異なる中で、共通なものは必ず共感（感慨）を得ることが出来るので、その内容に戻ることによって、共通の命名が出来ることになる。哲学はすでに個人的主感の段階ではなく、普遍的主観を語っているからである。哲学は具体的、個人的主感からその思考を始めるのだが、その主感をよりコミュニケーション・ヴァリューを高めていくことによって、普遍的主観にたどり着く。具体の中に抽象（つまり〝自己〟、〝主体〟）を掘り出していくことで、より明解な共通理解が成立しやすくなるものになっていくはずである。具体は外の世界とのかかわりを表し、抽象はより普遍的内部（主観）の世界になっていく。具体は多種多様で個人個人によって異なるが、抽象は難しそうに見えて逆に共有出来るものなのである。具体はよくおしゃべりの対象となるものであり、まずは共感、反発など様々な反応を突き起こすものである。それをとぎすましていって普遍的抽象にたどり着く。

また、対象は共通と言っても、個人が発する言葉（用語）が載っている個人的体系が偏っている場合、その言葉自体が個人的特殊性を持つことになる。ただし、個人的体系が偏ったとしてもそれが載る大きな体系自体は共通なものである。受け取る方が自分の意識している体系と突き合わせることによって、その言葉の意味を見破る必要が出てくるわけである。これは個々の言葉ではなくその言葉の載っている表現〝全体〟を見て理解していくことになる。

第8章

特殊と普遍

「**特殊**」とは世に言う主観的なもの、個人的なもの、普遍に対立するものであると考えられている。しかし、このように考えると「**特殊**」は普遍から除外されたように思える。またしかし、このように考えると「**普遍**」と「**特殊**」あるいは「**個別**」との実は深い関係のあることが分からなくなってしまう。また、ここにはヘーゲルの「現実的なものは理性的である」という言葉の謎が解ける連関概念があると言う意味で大事になってくる。

「**特殊**」と言うものも「**普遍**」から作られていて、「**普遍**」と言うものは、あらゆる点でバランスが取れていて、現実には「**特殊**」の動きの中で、その動きが大きければ大きいほど比較的はっきりと見ることが出来るのだが、その「**はっきり見えること**」や「**大きな動き**」は「**普遍**」とは相矛盾するものである。しかしながら、「**特殊**」の大きな動きは、また再び「**普遍**」の中に吸収されていく。歴史上の大きな悲劇があり、例えば、第二次世界大戦のドイツなど、人間のネガティヴな一面が、その時代のヴェルサイユ条約などによって追い込まれたドイツ人の多くが支持していたように、各人間の一角に隠れていることを示した後に（その国の経済社会状況にはよるが、極右―左勢力を支持する国民は常に少なくとも5％はいる）、それを補修するような普遍性が人間にはまたあるように、歴史は一見非理性的に見えるのだが、生きるという事実の中に、その〝**必然性**〟が見えてくる。この〝**必然性**〟から理性、道徳、宗教が出てくるわけであるが、この三者は人間達が歴史的悲劇に陥らないようにとの〝**定言命法**〟（絶対的必要性）のような意志が働いている。したがって、前者の〝**必然性**〟はこの道徳、宗教等よりも広い概念を持っていると言え、この三者に対して優位性を持っていることになる。

しかし、このような〝**必然性**〟の中に於いても、人間が生きると言う意志を持っている以上、理性や道徳に、より重点を置かざるを得ない。カントの絶対的〝**定言命法**〟も理性停止ではないかと思われるが、人間の絶対的生存と言うような意味で正当化されるのかもしれない。

ある経験が、あるいは、ある事象が特異であればあるほど皆の関心を引き付ける。特異なことの中には、矛盾のように見えるようであるが、より普遍的なものがより明確に表されるからである。特異は普遍の視点からはとうてい理解のいかないことがある。そこで全ての人が普遍の上に成り立っているはずであると言う仮定から、強い好奇心を持って普遍を見つけ出そうとして解釈する。普遍的なものは、かなりの努力をしてしか見つけられないものなので、共感や感動を呼ぶ。これは問題はないが、強いと考えることが出来るのではないか？

嫌悪感はどうであろうか？　これは自分の中にもそのような嫌悪すべき根があって、そこに引き込まれるような危険性を感じるが故に、逆の共感ではないのではなかろうか？　どの人間がやることにも、根っこには、このあらゆる要素を含んだ普遍性を持っているように思われる。歴史や日常の新聞に出てくる全ての人間の行動は、ある一人の人間に全て潜在する普遍的な人間の性向を表だって表現されたものにすぎない、と考えることが出来るのではないか？

人間が百人百様であるのは、人間が生きるために本能的に組織を作り、分業したり、生まれた状況が違ったりして、その外的状況が違っているだけであり、もともとは全てが本質的には同じ人間であるとすれば、物事の一元論が正当化されるはずである。人間性の普遍的体系が、人間が自然の体系の一部である以上、物事（自然）の体系であり、哲学や言語の体系であると言え、その一元性は正当化され得る。そして、その体系は、意識することで、人間が自然全体に対して、どのように対処しているかを示している。その意味で、人間の視点からの自然全体が、少なくとも潜在的に、そこにはある。人間がコミュニケーションしようとするのは、その普遍を直感的に気付いているからである。そして、人間の覚知を超越した自然は存在しない。自然の超越性を人間が錯覚してしまうのは、個人の知識の量に対して、人間社会が拡大成長しその視野が広がることによる。どの一個人も社会の一部分を構成するために、社会全体が得た視野を把握することが出来ないからである。一部でしかない一個人が共通の基盤を持っていることに気付いていても、全体を把握することは物理的に無理なのである。

■ビブリオグラフィー

本文内で〃合理主義一元論史〃があるのでここでは通常あまり挙げられないものだけを扱うことにする。

一応、スピノザ（解説書ではBrunschevicq, Delbos, Jaspers, etc）、ヘーゲル（特に初期神学論、「差異」論文、精神現象学）、プロティノス、エックハルト、聖アンセルムス（プロセレギオン、モノレギオン、クール・デウス・ホモ）前ソクラテス派に関しては全作品がその対象となる。

大抵の引用は非常に有名なものを挙げているが、そうでもないものは逐次その場所を文章の中で記載してあるつもりである。

発言の実証性を担保するためにリファレンスを逐一挙げるのが研究書の誠実さを示す慣習にはなってはいるが、自己の思考の表現に最重要点を置く時は、リファレンスよりも思考の流れを重要視しなければならないであろう。サルトルは引用はあってもリファレンスがないので翻訳者がそれらを見つけるのに苦労したと聞いている。思考の流れと言うものはそのようなものであろう。サルトルは資料を見ずに自分に印象の残った思考を逐次引用しているのである。しかし、日本語でアクセスがなく、重要でありながらあまり他の研究書では挙がらないものだけを挙げておくと以下のようになる。

マイモニデス「迷えるものへの案内」、大本の原文はアラビア語であるが、ヘブライ語訳と同時に残っているようである。このためか、大部であるためか日本語の完訳はまだない。しかし、難しい本ではない。これは著者がユダヤ人であるために、米語では多くののヴァージョンがある。フランス語ではヘブライ語との対訳がある。マイスター・エックハルトと共に中世においての聖書の合理主義的な解釈には目を開かせるものがある。

アヴェロエス、Averroes; On the Harmonie of Religion and Philosophy, George Hourani, Luzac London

Averroes; Tahafut al Tahafut (The Incoherence of Incoherence) Cambridge、マイモニデス同時代、同じアンダルシアのアラビア人哲学者プロクロス、フランス語、

ドイツ語では彼のプラトン対話論解説などが揃っているが、特にDix problemes concernant la Providence「恩寵に関する十の問題」3volsが興味深い。出版社はGuillaume Bude。他にTheologie platonicienne; Guillaume Bude.

Uriel da Costa; Carl Gebhardt 編, Oxford, “Uber die Sterblichkeit der Seele”と“Ein Beispiel menschlichen Lebens”。ダ・コスタはスピノザとアムステルダムでの同時代人で、同様にポルトガル人移民で聖書の合理的な解釈をしている前者は非常に興味深い。後者はこの書の発表でシナゴーグから破門、拷問され自殺するのだが、自殺までの過程が描かれ、その時代で一番自由と言われたオランダ国家の移民ユダヤ人の状況が知られ、スピノザの置かれた状況がより分かりやすくなる。

Pseud Mayn; Uber das Bewusstsein, Felix Meiner, Englisch-Deutsch

Pietro Pomponazzi; Abhandlung uber die Unsterblichkeit der Seele, Lateinisch-Deutsch,

Felix Meiner　英語版も有名である。Cassierer による紹介もある。

Wilhelm Weischedel; Hegels dialektisches Weltsystem, in Marbacher Magazin, 56/1991

どうやら日本語訳があるようである。

Die fruhe Fichte

Die philosophische Hintertreppe, usw

Kant; “Opus Postmum”, Gesammelt Werke Bd22, 23,Walter de Gruyter、I Konvolut, とVII Konvolut がスピノザに関するもの、とても興味深い。生前のスピノザへの批判的態度とはかなり異なるように見える。ここにも検閲とその時代の宗教の圧力があったことが見えるのではないか。

Schurmann/Waszek/Weinreich; “Spinopza im 18 Jahrhundert”, Frommann, 2002

Karl Rosenkranz（1805-1879）；Hegel als Deutscher National Philosoph,1870, 1965, Reprint

日本語にも翻訳された有名なヘーゲルの伝記作家のヘーゲルとその時代の哲学解説である。以下にカントやヘーゲルが精神哲学を自然科学的方向で証明しようとしたかが伺える重要な本であるように思える。

Bossuet; Sermon sur la Providence, Seconde Sermon sur la Providence.（恩寵に関する説教）

Balzac; Essai philosophique; Discours sur l'immortalité de l'âme.（霊魂不滅論）
Aldo Gargani; Il coraggio di essere（存在の勇気）, Laterza
　Il sapere sennza fondamenti（基礎のない知識）Einaudi
　Sguardo e destino（視線と運命）, Laterza, etc
Jean Trouillard; L'un et l'ame,（一者と魂）Les Belles Lettres
　Proclos; Aubier
　La purification plotinienne;（プロティノスの浄化）PUF, etc
John Lewis; Introduction to Philosophy; Watts 1954, シンプルな題だが各思想の歴史的背景と一緒に書かれているので大いに参考になる。特に歴史的背景によって表現をカムフラージュしなければならなかった思想家（特にデカルトから独仏啓蒙時代までの）を解釈し直し、本心を推測するのに役立つ。

他に理論物理学者達の哲学論文が興味深い。Ernst Mach, Ludwig Boltzmann, Niels Bohr, Erwin Schrodinger, Albert Einstein, 湯川秀樹など、Matthew Stanley; Einstein's War, ２０１９、相対性理論は第一次世界大戦中（１９１７年）に形成された。平和主義者であるアインシュタインは、ベルリンで孤立しながらもそこは理論形成に必要と考えた。一方、全面的な相対性の支持者であるエディントンは敵対国イギリスでその証明方法を模索して遂に成功する。アインシュタインの親友であり続けるフリッツ・ハーバーは毒ガスを作り、彼の妻のこれ故の自殺以後もさまざまな武器を進化させていく。

著者略歴

能座 一石（のうざ かずし）

1947年 9 月15日生まれ
杉並区立馬橋小学校卒業（この時 IQ145）
杉並区立杉森中学校卒業
都立西高等学校卒業
東京外国語大学、イタリア語学科（第二外国語はフランス語）に入学するも、大学紛争で中退。
1970年　准教授、助手から大学に残るように勧められたがフランスに留学しソルボンヌ大学で博士号を取得。その後16年間、英語・フランス語の通訳をしてフランスに滞在。
1986年　帰国。現在も欧日協会でドイツ語を学んでいる。

人間の本質は万人共通、永遠不変であり
全てのものの絶対客観尺度（理性）

2024年 3 月 5 日　　初版発行

著者　能座 一石
発行・販売　株式会社三省堂書店／創英社
〒101-0051　東京都千代田区神田神保町1-1
Tel：03-3291-2295　Fax：03-3292-7687
印刷／製本　株式会社フォレスト

ISBN 978-4-87923-241-0 C0110